La periodista inglesa Amy Randall cruza el Atlántico para conocer y participar en algunas de las más representativas fiestas de América Latina.
Amy va a conocer diferentes formas de vida de 10 países latinoamericanos: sus tradiciones, su gastronomía, su cultura. Y nos va a contar en primera persona las celebraciones más espectaculares.

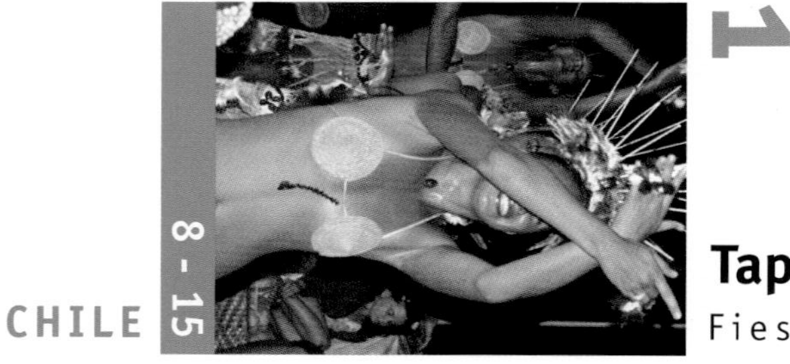

1

Tapati Rapa Nui

Fiesta de la Isla de Pascua

CHILE 8 - 15

2

El gran honor de ser fusilado

El carnaval de Humahuaca

ARGENTINA 16 - 25

3

Encuentros por la paz

El guancasco

HONDURAS 26 - 33

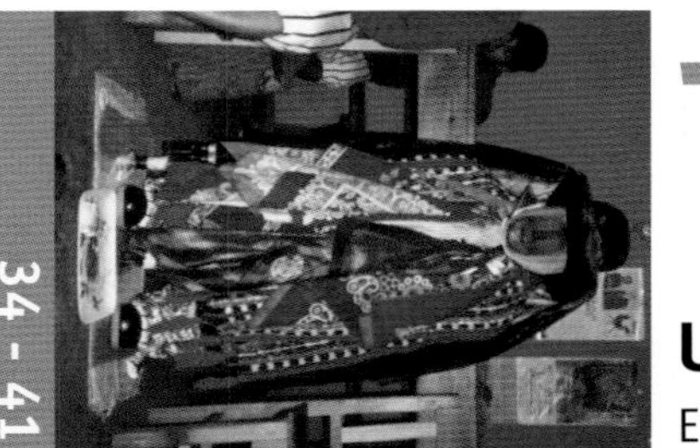

4 **Un santo que no entra en la iglesia**
El culto a Maximón
GUATEMALA 34 - 41

5 **Al ritmo del Caribe**
El Festival de la leyenda vallenata
COLOMBIA 42 - 49

6 **Los caballeros águilas**
Los voladores de Papantla de Olarte
MÉXICO 50 - 57

PERÚ 58 - 65

7 **Inti Raymi**

La fiesta del Sol

VENEZUELA 66 - 73

8 **Tambores en la oscuridad**

La fiesta de San Juan Bautista

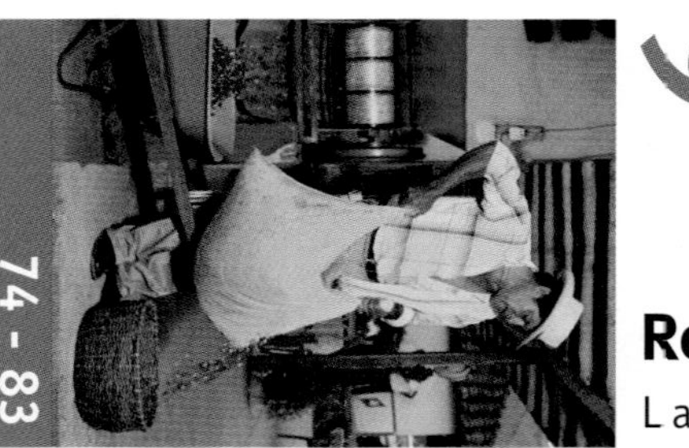

COLOMBIA 74 - 83

9 **Reinado tropical**

La Feria del café

10

El legado de África
El carnaval de Santiago
CUBA 84 - 93

11

La danza de los bailantes
Moros y cristianos de Boaco
NICARAGUA 94 - 101

12

Una noche entre difuntos
El Día de muertos
MÉXICO 102 - 109

Tapati Rapa Nui

1 Fiesta de la Isla de Pascua

CHILE

En pleno invierno, Amy Randall deja el cielo gris de Londres para volar a la isla de Pascua, la isla habitada más lejana de América del Sur. Junto con los rapanui, *los habitantes polinesios de la isla, Amy participa en unas celebraciones indígenas muy participativas y divertidas.*

Febrero en Londres es triste porque se hace de noche a las cuatro de la tarde. A mí, que me gusta el sol, este tiempo me deprime mucho; por eso, cuando mi jefa me pide un reportaje sobre la Isla de Pascua, pienso que me ha tocado la lotería[1].

La pequeña y misteriosa Isla de Pascua, la más lejana y oriental de las islas polinesias, casi perdida en el océano Pacífico, pertenece a Chile y está situada a unos 3600 kilómetros[2] de su costa. Se llama Isla de Pascua porque fue descubierta el día de Pascua[3] de 1172, por el almirante holandés Roggeween, pero su nombre indígena es Rapa Nui.

Es una isla sin árboles, de origen volcánico, que apenas tiene 180 km^2 de superficie, donde se levantan tres volcanes inactivos; el más antiguo es Te Henua, que significa en la lengua local "el ombligo del mundo"[4]. La isla es famosa por los moais, unas gigantescas estatuas de piedra de forma humana.

Desde Santiago de Chile viajo en avión a Hanga Roa, la capital de la isla, donde llego justo a tiempo para asistir a las fiestas locales. Es una oportunidad maravillosa para conocer las tradiciones ancestrales de los *rapanui*, los nativos polinesios de la isla.

La fiesta se llama Tapati Rapa Nui y en ella participan familias enteras. Cada familia propone una muchacha como reina de las fiestas, pero antes de la elección, las familias deben pasar unas pruebas con las que ganan puntos para la candidata. Algunas pruebas son juegos que se practican en la isla desde hace varios siglos; otras son ceremonias tradicionales de los *rapanui*, como cantos y bailes; y otras están relacionadas con la construcción de canoas, las pinturas corporales o la confección de trajes típicos.

Para participar en las fiestas voy a formar parte de la familia Nahoe Hokulea, que ha aceptado "adoptarme" durante unos días. Junto a los padres juegan los hijos, los abuelos, los tíos, los primos y otros parientes. Todos son muy simpáticos y al verme se echan a reír: con mi piel clara y mis pecas[5] es difícil no llamar la atención, pero con una falda de paja[6] y flores en el cuello y en el pelo, pronto estoy lista para participar en esta gran fiesta de los *rapanui*. Sólo me falta aprender a bailar el *hula*, la danza tradicional de Hawai, para parecer una auténtica polinesia.

Durante las fiestas, los nativos se pintan y adornan el cuerpo de forma tradicional, utilizando las antiguas técnicas de mezclar pigmentos[7] naturales. Algunos de ellos, con el cuerpo totalmente pintado de gris de cenizas, la cara

1 tocar la lotería en sentido figurado, tener mucha suerte.
2 kilómetro en adelante aparecerá km (medida de longitud) o km^2 (medida de superficie).
3 día de Pascua fiesta de la tradición católica que celebra la Resurrección de Jesucristo.
4 ser el ombligo del mundo ser el centro del mundo.
5 pecas pequeñas manchas que salen en la cara de las personas de piel clara.
6 paja tallo seco de algunas plantas.
7 pigmento sustancia que sirve para dar color.

negra y la cabeza cubierta de paja, tienen un aspecto un poco sobrecogedor[8]. Otros llevan el cuerpo y la cara decorados con pinturas negras y bonitos dibujos geométricos, semejantes a los de los maoríes, los pueblos indígenas de Nueva Zelanda.

Vestida de *rapanui* paseo entre los nativos y me voy a ver las procesiones callejeras animadas por farándulas. Son grupos de músicos vestidos con ropas tradicionales que cantan canciones populares y tocan acordeones y guitarras. En las procesiones también desfilan carrozas con niños disfrazados, figuras de animales hechos con ramas y reproducciones en madera de las enigmáticas figuras de las isla, los moais.

Pero pronto debo volver con mi familia adoptiva porque empiezan las pruebas que sirven para ganar puntos para las reinas. En la primera, los ancianos deben interpretar cantos que cuentan historias y leyendas del pueblo *rapanui* en lengua polinesia. Aunque no entiendo lo que dicen, se me pone la piel de gallina[9] al escuchar la intensidad de los sonidos de su idioma y el dramatismo de los gestos del abuelo Nahoe Hokulea.

Cuando termina el recital de los ancianos, una de mis "hermanas" viene a buscarme porque vamos a participar en la siguiente prueba. Consiste en confeccionar los bonitos trajes típicos de la isla con *mahute*, una planta que fue introducida en la isla por los primeros habitantes polinesios. Yo me hago una falda y me la pongo para ir a la siguiente prueba.

8 sobrecogedor que produce una gran impresión.
9 ponerse la piel de gallina sentir que el vello de la piel se pone de punta por alguna emoción fuerte.

Se trata de fabricar una embarcación polinesia tradicional. Bajo la dirección de los mayores, trabajamos sin descanso hasta que la barca está terminada. Yo pongo mucho entusiasmo hasta que me empiezan a doler las manos; entonces dejo el trabajo manual, tomo la cámara y me pongo a hacer fotos. Cuando la barca está terminada, la familia me invita a subir a bordo para que todo el mundo nos vea navegar.

Debo confesar que no me gustan mucho los deportes de riesgo, pero reconozco que las pruebas de esta fiesta son apasionantes. Afortunadamente, nadie me pide que tome parte en la carrera que tiene lugar a continuación. En ella, los jóvenes se dejan caer por la pendiente de un monte de 45 grados de inclinación y 120 m de longitud. Van casi desnudos, tumbados sobre dos troncos de plátano atados entre sí y bajando por la pendiente alcanzan velocidades de hasta 80 km por hora.

Sí que me gustaría participar en la próxima carrera, que es también muy emocionante y se desarrolla en el agua. Los participantes, vestidos esta vez con trajes típicos, tienen que nadar 1500 m sobre un flotador[10] de totora, una planta que se teje con facilidad y se utiliza en América del Sur para hacer tejados y canoas. Como soy buena nadadora, me ofrezco para competir, pero

10 flotador objeto que sirve para poder no hundirse en el agua.

mi familia se opone; esta competición está reservada a los muchachos. Así que me limito a aplaudir a mis "hermanos" y "primos" cuando ganan la carrera.

Pero la más divertida es una prueba en la que los participantes tienen que correr por la hierba con dos racimos de plátanos unidos por una vara que llevan sobre los hombros. Al correr con el peso de los plátanos hacen movimientos muy divertidos que nos hacen reír a todos. Aunque yo tampoco puedo participar en esta carrera porque es también sólo para los chicos, sigo la carrera con mi "familia" y lo pasamos en grande[11].

Desgraciadamente cuando terminan las pruebas tengo que volver a Londres. Mi jefa dice que me necesita, así que me despido de mis parientes adoptivos, pero antes de irme compruebo con alegría que hemos conseguido bastantes puntos y es probable que la candidata de mi "familia" sea la reina de las fiestas.

Al decirles adiós, los Nahoe Hokulea me ofrecen de recuerdo una reproducción en miniatura de una de las famosas figuras megalíticas de la isla. También llevo en la maleta mi falda de paja con la que algún día aprenderé a bailar el *hula*.

11 pasarlo en grande divertirse mucho.

A VER SI HAS ENTENDIDO

1 Responde a estas preguntas:

a ¿Cuándo se celebra el Tapati Rapa Nui?

b ¿A qué distancia se encuentra la Isla de Pascua de la costa chilena?

c ¿Por qué es famosa la Isla de Pascua?

d ¿Cuál es el nombre indígena de la isla?

e ¿Cómo se viste Amy para participar en las fiestas?

f ¿En qué prueba participan los ancianos?

g ¿Por qué no entiende Amy las historias y cuentos de los ancianos?

2 ¿Verdadero o falso?

	V	F
a Amy llega a la isla cuando han terminado las fiestas.		
b La Isla de Pascua se encuentra en el océano Pacífico.		
c Las chicas no pueden participar en todas las pruebas.		
d En la Isla de Pascua hay mucha vegetación.		
e El *mahute* fue introducido en la isla por los españoles.		
f Algunos participantes adornan sus cuerpos con dibujos geométricos.		
g Amy se queda en la isla después de las fiestas.		

3 Elige la respuesta correcta:

A. Las farándulas están acompañadas por la música de...
- a guitarras y tambores.
- b acordeones y guitarras.
- c tambores y acordeones.

B. Algunos nativos llevan...
- a el cuerpo gris, la cara negra y la cabeza cubierta de barro.
- b el cuerpo gris, la cara verde y la cabeza cubierta de barro.
- c el cuerpo gris, la cara negra y la cabeza cubierta de paja.

4 Relaciona y forma frases con información de la lectura:

Cada familia •	• los participantes nadan 1500 m.
En las fiestas •	• propone una chica para reina de las fiestas.
Los nativos •	• se adornan y pintan sus cuerpos de forma tradicional.
La Isla de Pascua •	• participan familias enteras.
Cada equipo •	• fabrica una embarcación polinesia tradicional.
En la prueba de natación •	• es de origen volcánico.
Hang Roa •	• es la capital de la isla.

5 Encuentra ocho palabras del texto en la sopa de letras.

J	V	O	S	E	F	E	R	L
F	L	O	T	A	D	O	R	O
N	M	A	L	A	N	D	E	T
P	A	G	C	C	R	C	I	E
A	H	O	E	Y	A	A	C	R
S	U	R	A	P	A	N	U	I
C	T	I	N	L	A	O	N	A
U	E	E	O	V	A	A	R	I
A	E	P	L	A	T	A	N	O

1 ____________ 5 ____________

2 ____________ 6 ____________

3 ____________ 7 ____________

4 ____________ 8 ____________

6 Describe con tus propias palabras alguna de las pruebas de las fiestas de Tapati Rapa Nui.

El gran honor de ser fusilado

2 El carnaval de Humahuaca

ARGENTINA

En el norte de Argentina sobrevive una celebración medieval que se mezcla con rituales indígenas para crear una fiesta llena de elementos paganos. Amy Randall se une a ella para descubrir que el mayor honor es el de ser fusilado[1].

1 fusilado/a ejecutado/a con arma de fuego. En el texto se refiere a pasar una prueba para ser admitido en un grupo.

Los españoles llevaron a América Latina las celebraciones medievales del carnaval, que se originaron en Europa en la época de los romanos. En los pueblos de la Quebrada de Humahuaca, en el norte de Argentina, esta fiesta se mezcló con unos rituales indígenas en honor a la Pachamama, la Madre Tierra de los indios. Como resultado de esta fusión surgió una fiesta de carnaval y muy especial.

Humahuaca es un pueblo tranquilo donde los jóvenes se quejan de que la vida es dura y de que no hay muchas distracciones. Los vecinos trabajan mucho y se divierten poco, por eso cuando llega el carnaval aprovechan para vivirlo diviritiéndose al máximo.

Unos días antes de que empiece el carnaval hay algunos actos festivos como el Festival de la chicha. La chicha es una bebida alcohólica típica de la región que se elabora a partir del maíz. Durante este festival un jurado elige la mejor chicha elaborada por las familias del pueblo.

El carnaval tiene lugar la segunda mitad del mes de febrero, normalmente la última semana del mes, y consiste sobre todo en una gran fiesta callejera que dura nueve días, durante los cuales la gente se disfraza, come, bebe y baila al ritmo de instrumentos locales de viento y percusión.

Llego a Humahuaca el viernes anterior al primer fin de semana del carnaval. Desde Buenos Aires, la capital del país, voy en avión a San Salvador de Jujuy y de allí tomo un ómnibus[2] a Humahuaca que tarda unas dos horas. Cuando llego al pueblo me alegro de haber reservado con mucha antelación una habitación en la hostería, porque hay tanta gente que ya no hay donde alojarse, a pesar de que muchas familias alquilan habitaciones para los visitantes durante estos días.

En la hostería me espera Ramón Veraguey, un amigo argentino que vive en Londres. Tiene familia en Humahuaca y algunos años vuelve a su pueblo natal[3] para disfrutar del carnaval con su familia y amigos.

—Descansá bien esta noche, —me aconseja —que a partir de mañana vamos a pasar nueve días de fiesta continua.

A la mañana siguiente mientras desayunamos juntos, Ramón me habla de las fiestas.

—Este carnaval no es para ver pasar desfiles, ni para admirar los disfraces de los demás, aquí todo el mundo participa, y para gozarlo al máximo hay que ser miembro de una comparsa.

2 ómnibus en Argentina, autobús.
3 pueblo natal pueblo en el que nace una persona.

Las comparsas son grupos de personas que se reúnen en sus propios locales llamados fortines para comer, beber y celebrar juntos las fiestas.

—Pero yo no soy miembro de ninguna —le digo.

—No importa, más tarde te llevo a la mía, pero si querés pertenecer a ella tenés que pasar la prueba del fuego.

Tras desayunar, vamos a la plaza de la Independencia, donde se está celebrando una misa al aire libre. Allí están todas las comparsas y Ramón me presenta a algunos miembros de la suya.

Al terminar la misa las comparsas se dirigen a las laderas[4] de unas colinas cercanas. Con la comparsa de Ramón llegamos hasta un montículo[5] de piedras.

—¿Qué estamos haciendo aquí? —le pregunto a Ramón.

—Este montículo señala el lugar donde está enterrado el *pusllay*.

—¿El qué?

4 ladera lado en pendiente de una montaña.
5 montículo monte pequeño. En el texto, monte hecho por hombres colocando unas piedras encima de otras.

—Es un muñeco de trapo que simboliza el diablo. Esta tarde cada comparsa desentierra a su diablo y con él se desentierran también las pasiones. Esto quiere decir que todo está permitido. No hay límites, sólo juerga[6] y diversión.

De repente empieza a oler a carne asada y me doy cuenta de que ya es la hora de comer.

—¡Qué bien huele! Tengo un hambre de lobo, —le digo a mi amigo.

—Vení, es un asado[7] comunitario, vamos a comer algo.

Mientras como una deliciosa chuleta veo a un grupo de personas que están metiendo algo en un agujero en la tierra. Son trozos de carne, cigarrillos, hojas de coca, vasos de chicha, de cerveza...

—Perdone, pero ¿qué están haciendo? —le pregunto a una señora que ha metido en el agujero unos granos de maíz.

—Dar de comer a la Pachamama para agradecerle las buenas cosechas.

—¿No te parece curioso? —comenta Ramón, —las mismas personas que están realizando este ritual precolombino[8] son las que celebraban hace un rato la misa católica.

Por la tarde, a eso de las siete y media suenan tres explosiones y la gente empieza a gritar y a aplaudir.

—¿Qué pasa? —pregunto.

—Es el desentierro. Vení, vamos a desenterrar al diablo. Ahora empieza lo bueno.

Inmediatamente después empiezo a ver gente por todas partes disfrazada de diablos que bajan por el cerro hacia el pueblo bailando y saltando.

—¿Pero a dónde van? —sigo preguntando.

—A dar la vuelta al mundo.

—¿Al mundo?

—Bueno se dice así, pero en realidad sólo dan la vuelta al pueblo.

Con la comparsa de Ramón nos unimos al desfile pero el ruido es ensordecedor[9], con música de trompetas, bombos y otros instrumentos locales. Por todas partes se escucha la música de los sicus, un tipo de flauta hecha con cañas de varios tamaños que silba como el viento.

En el pueblo la mayoría de la gente va disfrazada. Muchas mujeres llevan la ropa tradicional, con sombrero, pompones[10] de colores vivos y una manta para llevar al bebé sobre la espalda. Algunos "diablos" van tirando polvos de

6 juerga diversión muy animada y ruidosa.
7 asado carne cocida directamente sobre el fuego.
8 precolombino anterior a la llegada de Cristóbal Colón a América.
9 ensordecedor que hace un ruido tan grande que no deja escuchar nada.
10 pompón/es bola de lana o de cintas que se usa como adorno.

talco a toda la gente, que queda cubierta de blanco. Otros van persiguiendo a unas mujeres disfrazadas de gitanas.

—Los hombres de la zona son por lo general bastante tímidos con las mujeres, comenta Ramón —pero en carnaval se transforman. Como nadie les reconoce porque llevan máscaras, se vuelven valientes.

Por la noche Ramón me lleva a su comparsa y me presenta al resto de sus miembros.

—Amy es inglesa, —les dice, —y quiere hacerse miembro de nuestro fortín. Está dispuesta a pasar la prueba del fuego.

—¡Entonces va a haber que fusilarla! —gritan todos. —Vamos Amy, vení con nosotros.

A mí no me gusta nada como suena eso, pero no puedo volverme atrás.

—En esta región —explica Ramón —el mayor honor que un forastero[11] puede recibir es el de ser fusilado. No todos los extranjeros reciben ese honor.

Con Ramón y sus amigos entramos a una casa donde hay una mesa muy larga con catorce o quince botellas de bebidas alcohólicas diferentes, una al lado de la otra.

—Tenés que tomar una copita de cada una —susurra Ramón. —Si no lo hacés, mis amigos se sentirán muy ofendidos y no podrás ser miembro de nuestra comparsa.

Todo el mundo me está mirando, esperando mi reacción. Creen que no voy a ser capaz y tengo que demostrarles lo contrario.

11 forastero persona que viene de fuera del lugar.

Yo no bebo nunca, pero un día es un día y hoy es carnaval. Despacio, me sirvo media copita de la primera botella. Es whisky y al beberla me quema la garganta. Después pruebo la chicha, el ron, la ginebra... y la cabeza cada vez me da más vueltas. Cuando por fin llego a la última botella, que es de anís, apenas tengo fuerzas para servirme el último trago. Estoy a punto de caerme al suelo pero Ramón me sujeta. Al salir a la calle, alguien me dibuja algo en la frente con lápiz de labios mientras los demás me aplauden.

—Es la letra inicial de nuestra comparsa —explica Ramón. —Significa que fuiste fusilada y ahora eres uno de los nuestros. Es un gran honor para un extranjero.

A partir de ese sábado todos los días hay fiesta. Por las mañanas tenemos una gran comilona[12] en el fortín y después salimos a la calle y los vecinos nos invitan a tomar algo, o entramos en los locales de otras comparsas a beber y a bailar.

Al cabo de nueve días de fiesta ininterrumpida llega el entierro del diablo, el momento más triste de las fiestas. El diablo, que simboliza la diversión y las pasiones locas, debe volver a la tierra hasta el año siguiente para que todo vuelva a la normalidad.

Para ello, al atardecer, los miembros de cada comparsa encienden un gran fuego junto al montículo de piedras y entierran a su diablo mientras lloran desconsoladamente. Al principio creo que el llanto forma parte de la fiesta, pero pronto me doy cuenta de que mucha gente llora de verdad y sigue llorando cuando terminan los fuegos y bajan al pueblo. Todo el mundo parece abatido[13].

—¿Por qué está la gente tan triste? —le pregunto a Ramón.

—Mucha gente no va a tener oportunidad de divertirse hasta el año que viene. Además muchas personas que llegaron para las fiestas, como yo, tienen que irse y no van a ver a sus familiares hasta el año que viene.

Yo regreso a la hostería porque tengo que tomar el ómnibus temprano por la mañana y Ramón se despide de mí con lágrimas en los ojos.

—Prometeme que vas a volver el año que viene. Ahora que ya fuiste fusilada sos ciudadana de pleno derecho de Humahuaca.

Yo le prometo que lo intentaré, pero lo cierto es que todo lo que deseo ahora, más que nada en el mundo, es dormir. Tras nueve días de locura lo único que necesito es silencio.

12 comilona comida muy abundante.
13 abatido/a sin ánimo, deprimido/a.

A VER SI HAS ENTENDIDO

1 Responde a estas preguntas:

a ¿De qué se quejan los jóvenes de Humahuaca?

b ¿Quién es Pachamama en la mitología de los indios?

c ¿Cómo viaja Amy desde San Salvador de Jujuy a Humahuaca?

d ¿Qué son las comparsas?

e ¿A dónde van las comparsas tras la misa que se celebra al aire libre?

f ¿Qué hacen los vecinos de Humahuaca para agradecer a la Pachamama las buenas cosechas?

g ¿Qué significa la letra que le pintan a Amy en la frente?

2 Relaciona y forma frases con información de la lectura:

El *pusllay* •	• se encuentra en el norte de Argentina.
La Quebrada de Humahuaca •	• no bebe alcohol.
La chicha •	• es un muñeco que simboliza el diablo.
El entierro del diablo •	• se celebra en verano.
Durante el año, los vecinos •	• tiene lugar el noveno día del carnaval.
Normalmente, Amy •	• trabajan mucho y se divierten poco.
El carnaval •	• es una bebida alcohólica.

3 Completa estas frases con tus propias palabras:

a El carnaval consiste sobre todo en ______

b Amy se alegra de haber reservado con mucha antelación una habitación en una hostería porque ______

c Los hombres de la región son tímidos pero en carnaval se transforman porque ______

d Tras el entierro del diablo todo el pueblo se entristece porque ______

e Cuando Ramón dice que la gente va a dar la vuelta al mundo quiere decir que ______

4 ¿Verdadero o falso?

	V	F
a El carnaval dura más de una semana.		
b En Humahuaca hay aeropuerto.		
c Los ritos indígenas y católicos se mezclan en el carnaval.		
d El carnaval comienza con el entierro del diablo.		
e El Festival de la chicha se celebra antes del carnaval.		

5 Elige la información correcta según el texto.

A. Humahuaca es un pueblo...
- a grande donde apenas hay diversiones.
- b con muchas distracciones donde se trabaja mucho.
- c tranquilo donde se trabaja mucho.

B. Para ser fusilada...
- a Amy tiene que tomar varias bebidas alcohólicas.
- b Amy no tiene que dormir durante nueve días.
- c Amy no debe tomar bebidas alcohólicas.

C. Amy...
- a promete a Ramón que volverá cada año a Humahuaca.
- b promete a Ramón que volverá el año próximo a Humahuaca.
- c promete a Ramón que no volverá nunca a Humahuaca.

6 Sopa de letras: encuentra diez palabras del texto.

C	H	I	C	H	A	A	A	P
F	O	R	T	I	N	I	S	L
C	G	M	U	E	I	L	A	A
A	S	A	P	N	S	A	D	T
R	I	D	I	A	B	L	O	A
N	K	Y	O	U	R	C	A	O
E	U	M	A	I	Z	S	S	O
R	O	C	O	B	E	A	A	Z
C	A	R	N	A	V	A	L	U

Encuentros por la paz

3 El guancasco

HONDURAS

Los tambores y máscaras indígenas se mezclan con las tradiciones católicas en el ritual del guancasco, *una ceremonia de paz entre pueblos que se celebra en varias partes de Honduras. Amy Randall viaja a este pequeño país centroamericano.*

En un mundo donde los conflictos son habituales, Honduras conserva una tradición indígena que conmemora la paz. Antes de la conquista española eran frecuentes las guerras entre los pueblos indígenas de América, pero no entre los indígenas de la etnia lenca. Estos pueblos habitaban en el sur, el centro y el oeste de Honduras, y en lugar de enfrentarse entre ellos, hacían pactos de paz que celebraban con danzas y otras ceremonias. Estos pactos han llegado hasta hoy con la tradición del *guancasco*, una ceremonia festiva que simboliza un acuerdo de paz entre dos pueblos que tienen alguna característica o historia en común.

La iglesia católica conservó la tradición de esta ceremonia, no en su forma original, sino incorporándola a las fiestas de los santos patronos[1] de los pueblos, pero el guancasco todavía guarda características de la celebración primitiva.

Los guancascos se celebran en toda Honduras, pero el que tiene lugar entre los pueblos de Intibucá y Yamaranguila es uno de los más importantes y llamativos[2], y el que mejor se ha conservado.

Tras el viaje en autobús desde Tegucigalpa, la capital del país, llego a Intibucá, un pueblo de menos de 2000 habitantes, situado en un pequeño y fértil valle del suroeste del país. Es 1 de febrero, víspera[3] del día de la Virgen de la Candelaria.

Después de darme una buena ducha y dormir la siesta en un pequeño hotel del pueblo, me dirijo a la Alcaldía de la Vara Alta, la organización que prepara el *guancasco* entre los pueblos de Intibucá y Yamaranguila. Esta organización de origen lenca tenía en el pasado poderes económicos, políticos y religiosos, pero en la actualidad se encarga principalmente de organizar las fiestas patronales y de conservar las tradiciones

En la Alcaldía de la Vara Alta hay un gran alboroto[4].

—Todo tiene que estar listo para mañana, que es la fiesta de la patrona del pueblo —me explica José Aurelio, un joven indígena que forma parte de la organización.

Es difícil comprender tanta agitación, porque en las calles de este pequeño pueblo agrícola no hay mucho movimiento y todo parece tranquilo. Al anochecer, después de la cena, salgo a dar un paseo, pero como no hay mucho ambiente de fiesta me acuesto temprano, porque el viaje en autobús me ha dejado muy cansada.

1 santo patrono (o patrón) santo escogido como protector de un lugar, organización, profesión, etc.
2 llamativo que atrae la atención.
3 víspera el día anterior.
4 alboroto ruido causado por un grupo de personas.

Sin embargo, a la mañana siguiente, muy temprano, me despierta el ruido de la gente que llega de los pueblos vecinos.

Sin perder tiempo, salto de la cama, tomo un café y, sin olvidar la cámara, salgo a la calle. El ambiente es ahora totalmente diferente, muy alegre y festivo y el pueblo parece otro. La primera parte de mi programa es unirme a la procesión que sale de Intibucá con su patrona, la Virgen de la Candelaria, una pequeña escultura que llevan a hombros las autoridades de la Alcaldía de la Vara Alta. Detrás de ellos van los músicos tocando tambores y flautas; algunos van disfrazados con máscaras de madera. Me uno a la procesión, en la que van también vecinos del pueblo y muchos visitantes de otros pueblos cercanos, y salimos de Intibucá, desfilando despacio hacia las afueras. Cuando apenas hemos salido del pueblo la procesión se detiene.

—¿Qué pasa? —le pregunto a José Aurelio. —¿Por qué nos hemos parado?

—Porque venimos a recibir la procesión de Yamaranguila, con su patrón, san Francisco de Asís que viene a visitarnos. Mire, por ahí está llegando.

Efectivamente, por el mismo camino, pero en sentido contrario, veo llegar una procesión parecida a la nuestra, que se acerca hasta que las dos se

encuentran. Entonces las autoridades de cada pueblo, en un gesto simbólico, intercambian los patronos y las varas, unos palos que simbolizan el poder. Intibucá le da la imagen de la Virgen al pueblo de Yamaranguila, y éste a su vez entrega san Francisco a Intibucá. De esta manera queda simbolizada la unión entre los dos pueblos.

—Cuando lleguen las fiestas patronales de Yamaranguila, nosotros iremos en procesión con nuestra Virgen a su pueblo —me explica José Aurelio. —Las visitas de los pueblos siempre se devuelven.

Después hay unas bonitas danzas de la época precolombina, es decir de antes de la llegada de los españoles. Son danzas de los pueblos lenca cuya cultura y lengua han desaparecido casi totalmente. Los danzantes llevan banderas rojas y máscaras y unos bastones que lanzan al aire al compás de la música. Su presencia en la procesión es una muestra de la fusión de las culturas americanas primitivas y el catolicismo impuesto por los colonizadores.

Cuando terminan los bailes, las dos procesiones se unen y nos dirigimos todos juntos a Intibucá. Antes de llegar al pueblo se disparan los fuegos artificiales.

—Son para asustar a los malos espíritus —me explica una señora que está a mi lado mientras se santigua[5].

5 santiguarse gesto cristiano que consiste en hacer con la mano la señal de la cruz cubriendo la cara y el pecho.

En Intibucá dejamos las imágenes de los patronos en la iglesia y nos dirigimos a un lugar llamado la Casa Auxiliaria. Antes de entrar en el edificio, me acerco a una multitud de gente que contempla a unos grupos de danzantes que bailan en la calle agitando unas banderas de forma rítmica. Cuando termina el baile, entro en la Casa Auxiliaria.

En el interior hay un altar adornado con hojas de palma y manzano[6], con una cruz en el centro y unas velas. Sobre el altar las autoridades colocan las varas y los símbolos de los patronos —una corona para la Virgen y una cruz para San Francisco—. El suelo está cubierto con ramas de pino. Los asistentes observan la ceremonia en silencio. A los lados del altar hay algunas mujeres y niños y un hombre reza una oración, mientras otros queman incienso[7].

Cuando terminan las oraciones tiene lugar una suculenta[8] comida con platos típicos de la zona, chilate[9], pollo, tamales[10], cacao y chicha. De repente siento mucha hambre y recuerdo que no he tomado nada desde el café de la mañana. José Aurelio me invita a sentarme a su lado para disfrutar del delicioso banquete. Todos los participantes parecen muy contentos, para ellos este es uno de los días más importantes del año.

—En Honduras se celebran varios rituales de paz entre pueblos, pero como nuestro guancasco no hay ninguno —afirma José Aurelio con orgullo.

Y por la noche, como en todas las fiestas de pueblo hondureñas, hay baile en las calles, adornadas con luces y guirnaldas[11]. Niños y mayores bailan hasta el amanecer. Cuando sale el sol, los visitantes de los alrededores vuelven a sus casas y el pueblo vuelve a ser el lugar tranquilo y casi desierto que me encontré al llegar.

6 manzano en Honduras, se llama así al plátano pequeño
7 incienso resina aromática se quema en numerosas ceremonias religiosas.
8 suculento de buen sabor y muy nutritivo.
9 chilate bebida hecha con chile, maíz tostado y cacao.
10 tamal/es empanada de harina de maíz envuelta en hojas de maíz o plátano y cocida al vapor.
11 guirnalda tira de papel de colores que se cuelga para adornar.

A VER SI HAS ENTENDIDO

1 Responde a las preguntas:

a ¿Qué hace Amy al llegar al hotel?

b ¿Qué intercambian las autoridades?

c ¿Quién es el santo patrono de Yamaranguila?

d ¿Qué ocurre en la iglesia tras la procesión?

e ¿Entre cuántos pueblos se celebra normalmente el guancasco?

f ¿Qué hay en el interior de la Casa Auxiliaria?

2 ¿Verdadero o falso?

	V	F
a Todos los pueblos indígenas vivían en armonía antes de la llegada de los españoles.		
b Intibucá es la capital de Honduras.		
c La iglesia católica prohibió la ceremonia del guancasco.		
e Intibucá celebra un guancasco con Tegucigalpa.		
f El 2 de febrero es el día de la Virgen de la Candelaria.		
g Los pueblos intercambian dinero durante el guancasco.		
h San Valentín es el patrón de Yamaranguila.		
i El guancasco se celebra sólo en Intibucá.		
j Los pueblos nunca devuelven las visitas del guancasco.		

3 Ordena esta información según aparece en la lectura.

- [ ] Las dos procesiones juntas se dirigen a Intibucá para continuar las celebraciones.
- [ ] Sale la procesión de Intibucá, con la imagen de la Virgen de la Candelaria, para recibir a la de Yamaranguila, con la de san Francisco de Asís.
- [ ] Todos se dirigen a la Casa Auxiliaria.
- [ ] Tras el intercambio de las imágenes se bailan unas danzas muy antiguas.
- [ ] Se celebra un baile, donde participan pequeños y mayores.
- [ ] Se celebra un gran banquete.
- [ ] Las autoridades intercambian las imágenes de los patronos y las varas.
- [ ] Las dos procesiones se encuentran frente a frente.

4 Una vez ordenado el texto, relaciona unas informaciones con otras utilizando conectores, como por ejemplo:

primero *después de* *a continuación* *luego*

por último *por la noche*

5 Nombra la comida típica de alguna fiesta tradicional de tu país. ¿Con qué ingredientes se prepara?

____

____

____

____

____

Un santo que no entra en la iglesia

4 El culto a Maximón

GUATEMALA

En casi todos los países de Hispanoamérica los santos son admirados por sus buenas acciones y sus imágenes se guardan en las iglesias. Sin embargo, en Guatemala el santo favorito del país tiene prohibida la entrada en la iglesia. Amy Randall visita a este santo original que prefiere el dinero a las oraciones.

Es Semana Santa, la fiesta cristiana que recuerda la muerte y resurrección de Jesucristo y he viajado a Guatemala para visitar un pueblo situado a unos 100 km de la capital del país. Se llama Santiago Atitlán y es uno de los doce pueblos con nombre de apóstol[1] que rodean el lago Atitlán, uno de los lagos más bellos del mundo.

El Viernes Santo[2] por la mañana viajo con Evangelina Uriarte, una colega periodista que trabaja en un diario de la capital para visitar a Maximón, la estrella de la Semana Santa del pueblo. Es un santo peculiar, muy famoso en todo el país, al que la iglesia católica no reconoce, pero que tiene un lugar de honor en la procesión del Viernes Santo, detrás del sepulcro[3] de Jesús.

Nos acercamos al pueblo en coche, por una carretera llena de curvas que atraviesa unos montes verdes. Mientras conduce, Evangelina me habla de los santos.

—La religión católica tiene santos para todas las ocasiones. Y para todas las profesiones. Por ejemplo, el santo patrón de los carteros es san Gabriel Arcángel, el de los abogados santo Tomás Moro, la de los mineros santa Bárbara, la de los músicos santa Cecilia... Y todavía hay muchísimos más. También hay santos que protegen a los animales domésticos y otros que curan las diferentes partes del cuerpo, por ejemplo san Blas cura los dolores de garganta, santa Lucía protege los ojos, san Juan de Dios el corazón...

—¿Y existe un patrón de los periodistas? —le pregunto.

—Claro, mujer, san Francisco de Sales. Nosotros lo celebramos en el periódico. Es el 24 de enero y ese día comemos todos juntos.

La luz del lago es tan intensa que todo parece transparente. En el horizonte se ven dos grandes volcanes que parecen tocar las nubes. Evangelina sigue hablando de santos.

—Todos ellos son personajes que han tenido una vida ejemplar según la iglesia católica; por eso la gente se dirige a ellos en busca de ayuda. Lo curioso es que en el caso de Maximón, ocurre todo lo contrario. No está en el santoral[4] ni tampoco va a misa, porque la iglesia católica no lo reconoce.

—¿Y por qué?

—Porque es más famoso por sus vicios que por sus virtudes, ya que fuma, bebe, colecciona pañuelos, le encantan el dinero, las mujeres y la ropa cara. A pesar de eso, o quizás justamente por eso, por ser tan humano, es muy querido en todo el país y venerado sobre todo por los hombres.

1 apóstol según la religión católica, cada uno de los doce primeros seguidores de Jesucristo.
2 Viernes Santo día del calendario cristiano en que se conmemora el entierro de Jesucristo.
3 sepulcro tumba.
4 santoral lista de los santos de la iglesia cristiana, y del día del año en que se celebra su festividad.

—¿Y por qué venimos hasta aquí?

—Porque aunque es adorado en toda Guatemala, aquí es donde más fama tiene.

Por fin llegamos a Santiago Atitlán, donde el santo se guarda este año en una pequeña casa de cemento situada sobre una colina. Cada año va a la casa de un miembro diferente de la cofradía[5].

—Lo extraño es —continúa Evangelina mientras aparca el coche, —que la mayor parte de la gente de este pueblo es protestante y los protestantes, por lo general, no creen en los santos.

Aunque Maximón no puede entrar en la iglesia, en estos días de Semana Santa van a visitarle las autoridades del ayuntamiento y los ciudadanos más importantes.

—¿Y cuál es la historia de Maximón? —le pregunto. —Porque seguro que tiene una historia.

5 cofradía asociación de personas con un fin común; en el texto es una cofradía religiosa.

—Bueno, su verdadero origen es desconocido, pero parece ser una fusión entre un dios maya[6] que se llamaba Mam o Max, el apóstol Judas y Pedro de Alvarado.

—¿Quién?

—Pedro de Alvarado, un conquistador español que fue gobernador de Guatemala.

—¿Otro ejemplo de la fusión de las culturas?

—Sí, claro. Cuando llegaron los españoles a Guatemala impusieron el catolicismo y los indios lo aceptaron, pero guardaron también algunas de sus creencias. Maximón es un buen ejemplo de esta fusión.

Al entrar en la casa donde está el santo nos encontramos con una figura con una cabeza de madera y un cuerpo hecho de trozos de tela. Va vestido con un traje sencillo y lleva muchos pañuelos de vivos colores y un gran sombrero negro. Y en la boca lleva un cigarro puro sin encender.

Para entrar a verlo hay que pagar y también para hacerle fotos o grabarlo en vídeo. El cuarto es pequeño. Alrededor del santo hay muchas velas encendidas; el resto de la habitación está en penumbra[7]. Al pie de Maximón hay muchas flores y ofrendas: paquetes de tabaco, botellas de whisky, pañuelos de seda, dulces, cajas de puros, frutas, botellas de refrescos, dinero... El aire está lleno de humo de incienso y el ambiente es hipnotizador[8].

En un lado, junto a la pared, unos hombres charlan y beben aguardiente[9]. Otros meten licor por la boca del santo y el líquido cae en un recipiente situado detrás de la figura. Hablan en voz baja, en *tzutujil*, la lengua local. Son miembros de la Cofradía de la Santa Cruz, que se ocupa de cuidar al santo.

Don Norberto, uno de los cofrades[10], se levanta para recibirnos. Es un indio viejo, de cara amable llena de arrugas. El aliento le huele a aguardiente y los ojos le brillan cuando Evangelina le pide que hable del santo.

—Maximón es rico y le gustan las cosas buenas; él sí que sabe disfrutar de la vida, comenta con una voz ronca.

—Él comprende las necesidades y preocupaciones de la gente normal —añade otro cofrade con los ojos también brillantes. —Y concede favores a cambio de las cosas que le gustan.

—¿Y cuáles son las cosas que le gustan? —le pregunto.

—Pues ya ve usted, el whisky, los pañuelos, el aguardiente y los cigarros puros...

6 **maya** persona de las tribus indias del Yucatán, Guatemala y otras regiones cercanas. También su lengua y su cultura.

7 **penumbra** zona con poca luz.

8 **hipnotizador** que causa sueño o fascinación.

9 **aguardiente** bebida alcohólica.

10 **cofrade** persona que pertenece a una cofradía.

—¿No le parece eso un poco materialista? —le interrumpo.

—A Maximón le gusta el dinero y a nosotros también, —acepta sinceramente —pero además tiene mucha fama porque cura las enfermedades.

En ese momento, entra una mujer y se arrodilla frente al santo. Uno de los cofrades se le acerca y le coloca sobre la cabeza el sombrero del santo y lo hace girar. A continuación otro cofrade enciende el puro que el santo lleva en la boca.

Doña Rosita tiene que operarse de la vista pero prefiere pedirle la curación al santo antes que pasar por el quirófano —explica don Norberto. —Si el humo del puro de Maximón va hacia arriba significa que el santo escucha la petición.

Hace mucho calor en el cuarto y estoy un poco mareada entre el olor de las flores y el humo de las velas, así que salgo a la calle donde hay una cola de gente que espera en la puerta para visitar al santo. Son casi todos hombres.

—¿Qué le pide la gente a Maximón? —le pregunto a un señor.

—Bueno, depende; hay quien le pide dinero, suerte en los negocios, que les toque la lotería, qué sé yo. Hay quien incluso le pide ayuda para vengarse[11] de alguien o para cometer algún delito; lo que yo le pido es salud.

—¿Y usted qué le pide? —le pregunto a un señor cuarentón[12] muy bien vestido que coloca frente al santo doce velas de color rojo.

—Hoy no le pido nada —contesta satisfecho. —Vengo sólo a darle gracias, porque tengo un bar y me va muy bien el negocio.

A pesar de no estar en el santoral, por la tarde Maximón desfila en la procesión del Viernes Santo, que simboliza el entierro de Jesucristo.

—¿Por qué piensas que Maximón es tan famoso? —le pregunto a Evangelina cuando termina la procesión y subimos al coche para volver a la capital.

—No lo sé, pero la verdad es que tiene más poder que los ministros. Mi madre dice que si se presentara a las elecciones la gente votaría a Maximón porque es más práctico pedirle algo a él que al Gobierno.

Yo no soy católica y además soy muy escéptica, pero tengo que confesar que le he dejado el pañuelo que llevaba al cuello. Nunca se sabe si algún día puedo necesitar la ayuda de un santo, sobre todo para conseguir un aumento de sueldo[13]. Seguro que Maximón, será más eficiente que ese patrón de los periodistas del que habla Evangelina.

11 vengarse causar daño a alguien como respuesta a otro daño recibido.
12 cuarentón que tiene entre cuarenta y cincuenta años.
13 sueldo salario, dinero que se percibe a cambio de un trabajo.

A VER SI HAS ENTENDIDO

1 Responde a estas preguntas:

a ¿Dónde se guarda la figura del santo?

b ¿Quiénes visitan a Maximón en Semana Santa?

c ¿Cómo es la figura del santo?

d ¿Qué objetos ofrecen los devotos al santo?

e ¿Cuándo sacan la imagen de Maximón en procesión?

f ¿Quién se encarga de guardar la imagen del santo?

2 ¿Verdadero o falso?

	V	F
a Santiago Atitlán se encuentra en los alrededores de la capital de Guatemala.		
b Maximón es el santo más querido del país.		
c Pedro de Alvarado nació en Guatemala.		
d La imagen del santo se guarda en una iglesia católica.		
e Los miembros de la Cofradía de Santa Cruz no beben alcohol.		
f Maximón tiene fama de curar las enfermedades.		
g Cuando el humo del puro va hacia abajo quiere decir que el santo no va a cumplir la petición.		
h La mayoría de las personas que veneran a Maximón son mujeres.		
i Amy deja una ofrenda a Maximón.		

3 Relaciona y forma frases con información de la lectura:

Evangelina dice que hay •	• se encuentra a orillas del lago Atitlán.
Santiago Atitlán •	• ofrece al santo su pañuelo.
Maximón •	• echan licor en la boca del santo.
Amy •	• participa en la procesión del Viernes Santo.
Unos cofrades •	• Maximón es la reencarnación de un dios maya.
Algunos creen que •	• santos que protegen a los animales domésticos.

4 Responde a las siguientes preguntas:

a ¿Qué crees que hacen los cofrades con los regalos que los devotos ofrecen al santo?

b ¿Cree Amy que Maximón tiene poderes?

c ¿En qué época del año recibe Maximón más visitas?

d ¿En qué se diferencia Maximón de los demás santos?

e ¿Por qué crees que es tan popular, sobre todo entre los hombres?

5 Elige la respuesta correcta:

A. Don Norberto es...

a joven y amable.

b viejo y desagradable.

c viejo y amable.

B. A Maximón le gustan...

a las mujeres y la ropa de segunda mano.

b las mujeres y la ropa cara.

c las corbatas y la ropa barata.

C. Maximón...

a tiene su propia iglesia.

b no entra nunca en la iglesia.

c vive cada año en una iglesia.

6 La gente le pide a Maximón muchas cosas como dinero, salud, venganza, etc. Amy dice que no cree en los santos, pero quiere pedirle un aumento de sueldo. ¿Qué le pedirías tú a Maximón?

GAIRA

40º Festival de la Leyenda Vallenata
40º Festival de la Leyenda Vallenata

Al ritmo del Caribe

5 El Festival de la leyenda vallenata

COLOMBIA

La salsa, el merengue y la cumbia son ritmos famosos en todo el mundo, pero para descubrir el verdadero espíritu de los ritmos latinos hay que viajar a Colombia. Amy Randall informa desde uno de los grandes festivales de música caribeña.

La música latinoamericana es muy popular en todo el mundo y cada vez más gente aprende a bailar la cumbia, la salsa y el merengue. Yo misma llevo años aprendiendo a bailarlos en Londres, pero las salas de baile de Madrid, París, Milán, Nueva York o Tokio no pueden compararse con el paisaje, la luz, la alegría y el ritmo de Colombia, que celebra varios festivales dedicados a la música y al baile caribeños.

Uno de los festivales más importantes del país es el Festival de la leyenda vallenata, una gran celebración de la cultura popular que tiene lugar a finales de abril en Valledupar, la capital del departamento[1] de César, en el norte de Colombia.

La palabra vallenato significa "nato del Valle", es decir nacido en Valledupar, pero el vallenato es sobre todo un tipo de música que consiste en una combinación de tres instrumentos musicales: el acordeón, el bongó[2] y el güiro, un instrumento de percusión[3] popular hecho con el fruto de una planta parecida a una calabaza. Juntos producen una música única que se ha extendido no sólo por Colombia y el mundo de habla hispana, sino también por muchas ciudades de Europa y Norteamérica.

El origen de la música vallenata data de mediados del siglo XIX y surgió en los patios de vecinos[4] y en las vaquerías[5] de los departamentos de César y La Guajira.

El Festival de la leyenda vallenata se creó para conservar la música y la cultura de la zona. El primero tuvo lugar en 1968, durante las fiestas locales y comenzó con un concurso de grupos de música vallenata. Ahora este concurso es lo más importante de las fiestas.

El Festival tiene fama internacional y en él participan numerosos grupos de diversos países. Además de colombianos compiten[6] grupos de países del Caribe como Panamá, Venezuela y Cuba, de México, e incluso de Estados Unidos.

En la ceremonia de inauguración de este año, a la que asiste el Presidente de la República y el Ministro de Cultura, hay casi 400 periodistas entre colombianos y extranjeros. Felipe Aránzazu, uno de los organizadores, me habla de esta música.

—El vallenato tiene cuatro ritmos, que son el paseo, el merengue, la *puya* y el son. Se diferencian unos de otros por la velocidad y la manera en la que se tocan los instrumentos. El son es el más lento de los cuatro, —explica

1 **departamento** en algunos países, cada una de las zonas administrativas en las que está dividido.
2 **bongó** un tipo de tambor.
3 **instrumentos de percusión** instrumento que se toca dándole golpes.
4 **patio de vecinos** patio interior común a varios edificios.
5 **vaquería** lugar donde hay vacas o se vende su leche.
6 **competir** enfrentarse dos o más personas o grupos para conseguir una misma cosa.

Felipe, —mientras que el paseo es un poco mas rápido y es el más comercializado.

—Yo conozco un poco el merengue; he aprendido a bailarlo en mis clases de salsa en Londres.

—Ah bueno, pero seguro que usted aprende el merengue dominicano, que es diferente. Escuche, esto que suena ahora es un merengue.

En los altavoces suena una canción rápida que habla de amor y Felipe me ofrece una mano para que baile con él. Acepto, encantada de poder aprender a bailar el merengue vallenato.

—¿Y qué es la *puya*? —le pregunto.

—Bueno, la *puya* es el ritmo más rápido de todos y el más fácil de reconocer; las canciones tienen mucho humor y tratan sobre temas sociales del país y de la región. Hay que ser muy buen músico para tocarlo.

Estoy de acuerdo con Felipe, porque la calidad de los músicos que asisten al festival es impresionante. Un conjunto típico consiste en tres músicos y un cantante, y casi todas las canciones hablan de la mujer amada y del pueblo natal.

Sin embargo, el vallenato es, además de la música, un conjunto de costumbres, mitos y leyendas que se cuentan en las letras de las canciones. Las leyendas vallenatas son relatos populares cuyos protagonistas son a veces seres fantásticos que realizan actos extraordinarios.

Existen muchas leyendas que han pasado de generación en generación. Una de las más famosas, que se representa durante las fiestas, es la de Francisco Moscote, un músico que al volver una noche de una fiesta se encontró con el diablo tocando el acordeón. La música del diablo apagó la Luna y las estrellas, pero Francisco se puso a tocar su acordeón y su música derrotó al diablo, porque tocaba mejor que él. Se encendieron de nuevo la Luna y las estrellas y la luz regresó a la Tierra.

Otra leyenda famosa es la de la Sirena de Hurtado. Era una niña linda y caprichosa que desobedeció a sus padres y fue a bañarse al río un día en que estaba prohibido porque era Jueves Santo[7]. Al meterse en el agua sintió que

sus piernas se volvían muy pesadas y cuando se acercó a la orilla se dio cuenta de que en lugar de piernas tenía una cola de pez. Se había convertido en sirena. La gente del pueblo dice que por la noche todavía pueden verla y oírla cantar a la orilla del río Guatapurí.

Todas esas historias populares se recogen en las letras de las canciones vallenatas, pero el amor es siempre el tema principal. En algunos pueblos todavía se lleva a cabo la Serenata vallenata, el enamorado canta debajo de la ventana de la mujer amada. Se acompaña casi siempre del acordeón.

—¿Entonces el acordeón es el instrumento más importante? —le pregunto a Felipe.

—Podría decirse, pero cuidado, que no todo lo que se toca con acordeón es vallenato, ya que este instrumento se utiliza en otros muchos géneros musicales latinoamericanos.

Este año en el festival actúa el gran intérprete Carlos Vives, un colombiano que, con su música de fusión con pop-rock latino, ha llevado la música vallenata por todo el mundo. Su actuación está prevista para clausurar[8] las fiestas y una gran multitud, la mayoría jóvenes, ha viajado hasta Valledupar para escucharlo.

Cuando Carlos Vives empieza a cantar todo el mundo lo sigue, cantando con él. Muchos también bailan, con unos movimientos de caderas, de pies y de cintura que a mí me resultan imposibles de imitar. Además, parecen incansables[9]. Yo intento bailar pero, a pesar de mis clases de salsa de los viernes por la noche, me siento como un elefante en una tienda de regalos. Creo que incluso con mucha práctica nunca podré bailar como los colombianos, pero no pienso desanimarme. He comprado varios CD de música vallenata en el festival y me llevo conmigo el ritmo caribeño para practicar en mis clases de baile y llevar calor a las frías noches londinenses.

7 Jueves Santo día del calendario cristiano en que se conmemora la Última Cena de Jesucristo.
8 clausurar poner fin, cerrar.
9 incansable que no se cansa nunca.

A VER SI HAS ENTENDIDO

1 Responde a estas preguntas:

a ¿Dónde se encuentra Valledupar?

b ¿Cuándo se celebró el primer Festival de la leyenda vallenata?

c ¿Qué autoridades asisten a la ceremonia de inauguración?

d ¿Cuáles son los principales instrumentos musicales de la música vallenata?

e ¿Cuántas personas componen un grupo de música vallenata?

f ¿Qué ocurrió, según la leyenda de Francisco Moscote, cuando el diablo tocó el acordeón?

g ¿Cuáles son los cuatro ritmos de la música vallenata?

2 ¿Verdadero o falso?

	V	F
a En el festival participan grupos de distintos países americanos.		
b El festival es seguido por numerosos periodistas.		
c Felipe Aránzazu es músico y compite en el festival con su grupo.		
d Todo lo que se toca con acordeón es vallenato.		
e El ritmo del merengue vallenato es muy lento.		
f Francisco Moscote derrotó al diablo con su música.		
g La actuación de Carlos Vives inaugura las fiestas de este año.		

3 Relaciona y forma frases con información de la lectura:

El amor •	• canta a la orilla del río Guatapari.
Los asistentes al concierto •	• es el ritmo más rápido del vallenato.
Dicen que la Sirena de Hurtado •	• la canta el enamorado a la mujer amada.
La *puya* •	• es el tema central de casi todas las canciones.
La música latinoamericana •	• hay casi 400 periodistas.
En la ceremonia de inauguración •	• parecen incansables.
La serenata vallenata •	• es conocida en muchas partes del mundo.

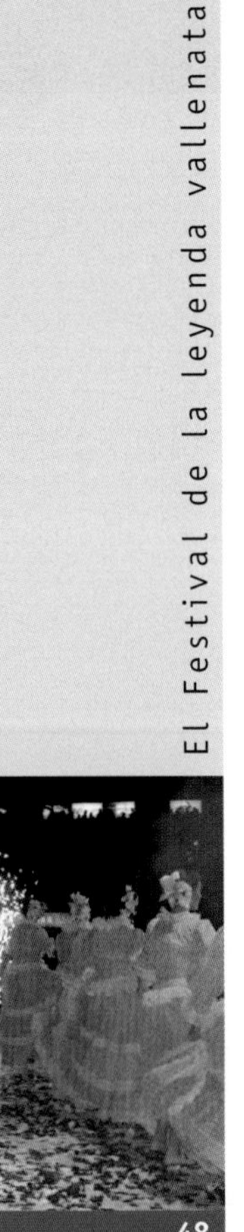

4 Completa con la información del texto:

a Existen muchas leyendas acerca de ______

b El acordeón se utiliza en muchos ______

______

c Amy compra en el festival ______

d La actuación de Carlos Vives es presenciada por ______

______

e Felipe Aránzazu explica a Amy ______

______

f La palabra vallenato significa ______

5 Sopa de letras: encuentra ocho palabras del texto.

A	C	O	R	D	E	O	N	P	O
V	A	Z	U	U	M	S	O	N	X
A	K	S	W	X	S	I	R	O	C
Q	O	I	E	J	X	R	O	K	O
U	O	Ñ	Q	R	O	E	P	Y	L
E	V	A	L	L	E	N	A	T	O
R	B	N	U	P	T	N	P	W	M
I	O	P	U	Y	A	I	A	X	B
A	A	M	P	D	D	N	W	T	I
C	U	M	B	I	A	J	Ñ	T	A

1 ______ 5 ______

2 ______ 6 ______

3 ______ 7 ______

4 ______ 8 ______

Los caballeros águilas

6 Los voladores de Papantla de Olarte

MÉXICO

A pesar del viento y de las nubes que amenazan tormenta, los voladores se lanzan al vacío mientras la multitud les observa conteniendo la respiración. Amy Randall asiste a un peligroso ritual precolombino de unos hombres que no conocen el miedo.

En el mes de junio, durante la festividad del Corpus Christi[1], llego a Papantla de Olarte, una ciudad situada entre colinas tropicales, a 250 km al noroeste de Veracruz. He venido hasta aquí porque tengo curiosidad por ver a los voladores, descendientes de los indios totonaca, quienes todavía practican una antigua ceremonia indígena que data de la época precolombina.

Los voladores son cuatro hombres y otro que toca la música y marca con su ritmo los movimientos de los demás. Van vestidos con pantalón rojo, camisa blanca con un pañuelo alrededor y un gorro de colores adornado con flores y pequeños espejos. Aunque es una ceremonia india, en el pecho llevan bordada[2] una imagen de la Virgen de Guadalupe, la patrona de México. Como en otras muchas celebraciones latinoamericanas, los símbolos católicos e indígenas conviven en la representación de los voladores.

La tradición empezó en la región del Golfo, pero ahora se celebra en varias partes de México. Es un ritual de significado religioso, pero también hay otros lugares donde se realiza para los turistas, como en la entrada del Museo Nacional de Antropología, en Ciudad de México.

Es un ritual espectacular y una multitud se reúne frente a la catedral de Papantla para contemplarlo, pero no sabemos si se celebrará este año porque el cielo anuncia tormenta: las nubes negras cubren los tejados y el viento es tan fuerte que el vuelo sería peligroso.

Cuando por fin se produce una violenta tormenta, le pregunto a uno de los voladores si van a suspender la actuación. Se llama Demetrio y es el músico del equipo.

—Señorita, —me contesta —una tormentita de nada no nos va a detener.

Lo que Demetrio llama una "tormentita de nada" consiste en una lluvia fuerte, con truenos[3] y relámpagos[4] y un viento que se lleva los sombreros y los paraguas, pero los caballeros águilas, como se les llamaba en la antigüedad, no conocen el miedo.

La ceremonia comienza con un baile ritual en la entrada principal de la catedral. Demetrio toca una flauta de caña con una mano y con la otra marca el ritmo de la danza con un pequeño tambor que lleva atado a la muñeca[5].

Cuando termina la danza, los voladores, seguidos por la multitud, se acercan a la cruceta, una estructura hecha con un palo grande, llamado palo mayor,

1 **festividad del Corpus Christi** fiesta católica que conmemora la institución de la Eucaristía.
2 **bordada** adornada con dibujos hechos con hilos.
3 **trueno** ruido fuerte que suena tras el relámpago en las tormentas.
4 **relámpago** resplandor muy vivo e instantáneo producido en las nubes por efecto de una descarga eléctrica.
5 **muñeca** parte del cuerpo que une la mano al brazo.

y otros que lo sostienen. Para los indios totonaca, el palo mayor representaba la conexión entre la Tierra y el cielo. El palo de Papantla está hecho de acero[6] y mide unos 25 m de altura. En otros lugares los palos son de madera y a veces pueden medir hasta 30 m. Los antiguos voladores totonaca utilizaban un árbol para realizar el ritual. Escogían uno muy recto y le quitaban las ramas.

El palo oscila[7] mucho bajo el fuerte viento. Arriba del todo hay una plataforma en forma de cruz donde se van a sentar los voladores. Antes de empezar, Demetrio pasa una botella de ron a cada miembro del equipo. Yo creo que van a beber para darse ánimos, pero ellos no beben, sino que riegan con el ron el suelo alrededor de la base de la cruceta. Después hacen lo mismo con el palo mayor. El lugar huele mucho a ron.

—¿Por qué echan ron por todas partes? —le pregunto a Graciano, un anciano que cuando era joven fue también volador.

—Eso lo hacen para emborrachar al palo —me explica —para que el palo esté contento y no haya accidentes y nadie resulte herido.

Tras completar los preparativos rituales, los voladores se atan a los tobillos[8] unas cuerdas que están enroscadas[9] en el palo y empiezan a subir hasta

6 acero metal muy fuerte compuesto por hierro y carbono.
7 oscilar moverse de un lado a otro.
8 tobillo parte del cuerpo que une el pie con la pierna.
9 enroscar unir dando vueltas.

que están todos arriba en la plataforma. Una vez arriba tienen dificultades para instalarse; el viento es muy fuerte y tienen que hacer muchos esfuerzos para no caerse.

Cuando por fin todos están sentados en lo alto del palo, Demetrio comienza a tocar la flauta y de repente se pone de pie. La multitud lanza un grito. Es muy peligroso porque tiene que estar en equilibrio en lo alto del palo. Aunque ya no llueve, grandes nubes negras ensombrecen[10] el cielo y el viento es tan fuerte que todos pensamos que se va a caer. Tememos por su vida. Sin embargo, así, de pie sobre el palo, Demetrio comienza a bailar dando vueltas sobre sí mismo. Mientras baila toca la flauta y marca el ritmo en el pequeño tambor que está atado a su mano derecha. Parece no sentir el viento.

Cuando Demetrio termina su peligrosa danza, los otros miembros del equipo se lanzan al vacío. Se echan de espaldas y mientras van cayendo van dando vueltas en círculo hacia la izquierda. Parecen volar sobre las copas de los árboles[11], sobre los tejados y sobre las nubes, dando vueltas alrededor del palo, una y otra vez.

Demetrio toca una música hipnotizadora con su flauta de madera y las cuerdas se van desenrollando hasta que llegan al suelo. Cada volador da 13 vueltas y entre todos dan 52, que corresponde al número de semanas del calendario totonaca.

Cuando llegan al suelo aterrizan[12] con la misma naturalidad y gracia con la que vuelan. Parecen tranquilos y contentos. Están en paz, como tras una meditación en movimiento.

Al final de la ceremonia me acerco a entrevistarlos.

—Debe ser maravilloso porque parecen ustedes muy felices a pesar del peligro y del mal tiempo —les digo. —Dan ganas de ponerse a volar.

—Bueno, si usted quiere puede volar con nosotros —responde Demetrio sonriendo, —pero primero tendrá que subir al palo.

Por unos momentos me imagino girando en el vacío alrededor del palo, pero en seguida siento miedo.

—Muchas gracias —le respondo, —pero me parece que voy a dejarlo para otra ocasión, no me gustan mucho las alturas.

Demetrio sonríe; creo que para él y para el resto de los voladores, la altura es su hábitat natural; por algo les llaman caballeros águilas.

10 ensombrecer oscurecer, cubrir de sombra.
11 copa del árbol parte del árbol compuesta por las ramas y las hojas.
12 aterrizar tomar tierra.

A VER SI HAS ENTENDIDO

1 ¿Verdadero o falso?

	V	F
a La actuación de los voladores se suspende por el mal tiempo.		
b Los voladores beben para darse ánimos.		
c El día de la actuación es soleado y caluroso.		
d El calendario totonaca tenía 52 semanas.		
e Amy Randall llega a Papantla durante el invierno.		
f Demetrio baila y toca la flauta a la vez.		
g Los voladores descienden de los indios totonaca.		
h La ceremonia se realiza dentro de una iglesia dedicada a la Virgen de Guadalupe.		

2 Contesta a las siguientes preguntas:

a ¿Qué símbolo de la religión católica llevan los voladores en sus trajes?

b ¿Por qué cree Amy Randall que van a suspender la actuación?

c ¿Dónde se representa la primera parte de la ceremonia? ¿En qué consiste?

d ¿Les resulta fácil a los voladores subir por el palo? ¿Por qué?

e ¿Por qué no caen al suelo los voladores cuando se lanzan desde la plataforma?

f ¿Qué significado tienen las 52 vueltas que dan entre los cuatro voladores?

3 ¿Conoces alguna fiesta tradicional de tu país donde se vistan trajes típicos? Describe estos trajes.

4 Relaciona para formar frases con información de la lectura:

	• comenzó en la región del Golfo.
Para los indios totonaca •	• toca una música hipnotizadora con la flauta.
La tradición •	• utilizaban un árbol para realizar el ritual.
Los antiguos voladores totonaca •	• el palo mayor representaba la conexión entre la Tierra y el cielo.
Demetrio •	

5 Enriquece tu vocabulario. En el texto hay muchas palabras referidas al clima ¿puedes nombrarlas y añadir algunas más?

____

____

____

6 Ordena la actuación de los voladores según la lectura:

- [ ] Cada volador da 13 vueltas alrededor del palo.
- [ ] Los voladores echan ron en el palo para que esté contento y no haya heridos.
- [ ] Cuando llegan al suelo aterrizan con naturalidad.
- [ ] Demetrio baila sobre la plataforma mientras toca la flauta y un tambor.
- [ ] Los voladores se atan a los tobillos unas cuerdas que están enrolladas en el palo.
- [ ] Los voladores suben por el palo hasta una plataforma en forma de cruz.
- [ ] Tras la danza de Demetrio, los otros voladores se lanzan al vacío de espalda.

Inti Raymi

7 La fiesta del Sol

PERÚ

En su recorrido por Hispanoamérica, Amy Randall viaja hasta la ciudad peruana de Cuzco, capital del antiguo imperio inca[1]*, para asistir al Inti Raymi, una fiesta que recuerda rituales incaicos de la época precolombina.*

1 inca pueblo amerindio que construyó un importante imperio que se extendía desde el sur de Colombia, por Ecuador, Perú y Bolivia, al noroeste de Argentina y el norte y centro de Chile.

Inti Raymi, la fiesta del Sol, que se celebra en la ciudad peruana de Cuzco, es la segunda fiesta más grande de Latinoamérica tras el carnaval brasileño de Río de Janeiro. Más de doscientas mil personas acuden en junio a Cuzco para ver este espectáculo, en el que unos quinientos actores hacen revivir el pasado de los incas.

La ceremonia de Inti Raymi estaba dedicada al Sol y la celebraba el pueblo que construyó la ciudad de Machu Picchu. Los incas se consideraban descendientes del Sol, por eso cada año le dedicaban un gran fiesta para agradecerle las buenas cosechas y pedirle que las del año siguiente también fueran buenas.

Desde Lima, la capital de Perú, vuelo hasta Cuzco, una ciudad situada en los Andes surorientales, en el valle del río Huatanai, a 3360 m de altitud.

El paisaje es muy bello, formado por fértiles valles y cordilleras nevadas. En mi vuelo hay muchos turistas que van a Cuzco atraídos por la gran fiesta del Sol, pero yo tengo la suerte de ir sentada junto a Roberto Hernández, historiador peruano y buen conocedor de Cuzco y sus tradiciones. Cuando le cuento que quiero escribir sobre la fiesta, el señor Hernández se ofrece a ser mi guía. Para empezar me habla de la grandeza de la antigua capital del imperio inca, considerada por los incas como el "ombligo del mundo".

—Tan grande era la importancia de la ciudad que los viajeros que llegaban a ella decían: "Yo te saludo gran ciudad de Cuzco", y todavía quedan indios que mantienen esta costumbre —me asegura.

Al bajar del avión intento seguir la tradición de los indios saludando a la ciudad, pero siento que la cabeza me da vueltas y tengo que apoyarme en el señor Hernández para no caerme al suelo.

—Perdone —me excuso, —es que me siento un poco mareada.

—No se preocupe, es el soroche, el mal de altura. Estamos muy alto y usted no está acostumbrada, por eso le falta el oxígeno. Les suele ocurrir a todos los turistas que visitan la ciudad. Lo mejor es tomar mucho líquido y mascar hojas de coca. Tenga, —me dice mientras me da unas cuantas hojas que saca de una bolsita de plástico que lleva en el bolsillo —ya verá que pronto se le pasa. Y no se preocupe, que es legal.

Mientras me recupero en el aeropuerto con una botella de agua mineral y mascando unas hojas de coca, el señor Hernández continúa su lección de Historia.

—Antes de la llegada de los españoles, el Inti Raymi se celebraba el día 21 de junio, día del solsticio de invierno en el hemisferio sur. Cuando los

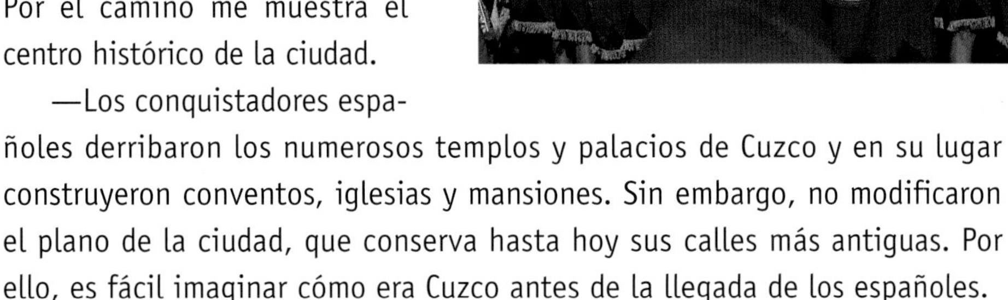

españoles conquistaron Cuzco, en 1533, prohibieron la celebración. Pero en 1942 se retomó la tradición gracias a arqueólogos y a historiadores como mi padre que estudiaron los documentos antiguos. Desde entonces se celebra el día 24 de junio, el día de la fiesta católica dedicada a san Juan Bautista. Es otro ejemplo de cómo la Iglesia recuperó muchas celebraciones tradicionales dándoles un significado cristiano.

El señor Hernández tiene su coche en el aeropuerto y se ofrece a acompañarme a mi hotel. Por el camino me muestra el centro histórico de la ciudad.

—Los conquistadores españoles derribaron los numerosos templos y palacios de Cuzco y en su lugar construyeron conventos, iglesias y mansiones. Sin embargo, no modificaron el plano de la ciudad, que conserva hasta hoy sus calles más antiguas. Por ello, es fácil imaginar cómo era Cuzco antes de la llegada de los españoles.

A la mañana siguiente, pasa a recogerme al hotel para ir a la ceremonia de Inti Raymi. Con él vienen su esposa, Verónica y sus dos hijos gemelos, Ignacio y Javier, que tienen doce años. El señor Hernández tiene rasgos[2] europeos; en cambio, su esposa y sus hijos tienen rasgos indios. Los cuatro van vestidos con magníficas ropas tradicionales indígenas.

—Verónica es de origen quechua[3] —explica el señor Hernández, —y le encanta asistir al Inti Raymi, que evoca el antiguo imperio de los hijos del Sol.

—Comprenderá que para nosotros este es el día más importante del año —añade su esposa.

Para asistir a la celebración, muchos habitantes de la zona se visten al estilo de sus antepasados incas y, como Verónica, las mujeres llevan faldas

2 rasgos líneas características del rostro de una persona.
3 quechua pueblo andino creador del imperio incaico; también se llama así a la lengua que hablaban.

bordadas, ponchos[4] de muchos colores y sombreros negros. A ellos se unen los turistas que llegan a contemplar la celebración del majestuoso[5] rito.

La ceremonia empieza en la plaza principal de Cuzco, en el lugar donde se encontraba el templo del Sol, con el discurso del rey inca. Este personaje habla en quechua, la antigua lengua de los incas que todavía se habla en Cuzco y sus alrededores, sobre todo en las tierras altas peruanas. Con una voz potente, agradece las bendiciones del Sol y aconseja a las autoridades que sean buenos gobernantes.

A continuación, se coloca en un trono dorado y comienza la procesión hacia las ruinas de la gran fortaleza de Sacsayhuamán, llamada también la Casa sagrada del Sol, donde se celebra el ritual. La fortaleza está situada a unos 2 km de Cuzco y desde ella se ve la ciudad. Nosotros vamos también hacia allá, pero en coche.

En la fortaleza me acerco a un grupo de indígenas que hablan quechua y les pregunto qué significa para ellos esta fiesta. Me responden, en un español de tono muy dulce, que están orgullosos de poder revivir sus viejas tradiciones, ya que muchas de ellas desaparecieron casi completamente con la llegada de los españoles.

En la explanada hay gradas[6] que en poco tiempo se llenan de gente, mientras que en los alrededores también hay mucho ambiente de fiesta, pero de repente se hace el silencio. La procesión se acerca; hay más de doscientas

4 poncho prenda de vestir, de forma rectangular con una abertura en el centro para pasar la cabeza.
5 majestuoso/a solemne, señorial.
6 grada asientos en forma de escalón seguido.

personas: son los actores que representan al rey inca, a los nobles del imperio y a los sacerdotes. Llevan vestidos bordados, plumas y máscaras que representan animales.

Al ritmo de flautas y tambores, los participantes van formando figuras y hacen alabanzas[7] al Sol en quechua. Es un espectáculo grandioso, cargado de energía.

A continuación los actores se dirigen a un extremo de la explanada para representar el rito principal: el sacrificio de una llama[8]. Antiguamente uno de los sacerdotes sacaba el corazón y los pulmones del animal para predecir el futuro, pero hoy en día la ceremonia es simbólica porque las organizaciones de defensa de los animales se opusieron al sacrificio.

Después se representa también el rito del fuego, cuando el sumo sacerdote se colocaba frente al Sol. En sus manos llevaba un medallón[9] dorado y cóncavo[10] con un material combustible[11]. Cuando los rayos del sol reflejaban en el medallón encendían el fuego sagrado que se conservaba hasta el año siguiente en el templo del Sol.

Por último, el rey inca, en medio de una gran silencio se dirige al Sol en quechua con estas palabras, que Verónica Hernández traduce para mí:

—"¡Oh Creador, Sol y trueno, sed jóvenes siempre! ¡Multiplicad los pueblos! ¡Dejad que vivan en paz!"

A continuación el rey inca y su comitiva[12] abandonan la explanada y así termina este ritual tan significativo para los descendientes de los incas.

Y terminado el ritual, empieza la fiesta. Los miles de indígenas venidos de toda la región cantan y beben en grupo en los alrededores de la fortaleza de Sacsayhuamán. De repente parece que el tiempo se ha detenido hace más de quinientos años. Por un día, el Imperio inca vuelve a reinar en Perú.

7 **hacer alabanzas** decir cosas buenas de algo o alguien.
8 **llama** animal doméstico de América del Sur.
9 **medallón** joya grande y redonda que se cuelga en el cuello.
10 **cóncavo** que tiene forma circular con la superficie más hundida por el centro que por el borde.
11 **combustible** que arde con facilidad.
12 **comitiva** grupo de gente que va acompañando a alguien.

A VER SI HAS ENTENDIDO

1 ¿Verdadero o falso?

	V	F
a El quechua se habla principalmente en las tierras bajas.	☐	☐
b El Inti Raymi se celebra desde 1533.	☐	☐
c En Cuzco había muchos templos y palacios incas.	☐	☐
d Desde Sacsayhuamán se ve Cuzco.	☐	☐
e Verónica Hernández habla quechua y castellano.	☐	☐
f Los actores visten faldas bordadas y ponchos.	☐	☐
g Tras el ritual, los indios cantan y beben en grupo.	☐	☐

2 Res[illegible]

a ¿[illegible]

b ¿[illegible] do llegaban a Cuzco?

c ¿D[illegible]

d ¿Có[illegible]

e ¿Quie[illegible] ante el Inti Raymi?

3 Relacion[illegible] para construir frases con información de la lectura:

- [illegible] rey inca •
- Los españoles •
- Roberto Hernández •
- Los incas •
- En la explanada •
- Los hijos del señor Hernández •
- Muchas tradiciones incas •

- • [illegible] hay gradas para los espectadores.
- • habla en quechua.
- • tienen rasgos incas.
- • se perdieron con la llegada de los españoles.
- • construyeron iglesias y mansiones en Cuzco.
- • conoce bien Cuzco y sus tradiciones.
- • se consideraban descendientes del Sol.

4 Completa esta información según el texto:

a El paisaje está formado por ricos valles y ______

b Antes de la conquista española, el Inti Raymi se celebraba el ______

______

c Sacsayhuamán se encuentra situada a ______

d Los actores representan al rey inca ______

e A Verónica le gusta el Inti Raymi porque ______

f Antiguamente, un sacerdote sacaba el corazón y los pulmones de una llama para ______

g Por un día, el Imperio inca vuelve a ______

5 Ordena la información según el texto:

☐ Se representa de forma simbólica el sacrificio de una llama y el rito del fuego.

☐ La procesión se dirige a la explanada de Sacayhuamán

☐ En la plaza principal de Cuzco, el rey inca da gracias al Sol.

☐ Los actores forman figuras y gritan alabanzas al Sol.

☐ El rey inca y su comitiva abandonan la explanada.

☐ Tras el rito del fuego, el rey inca dirige unas palabras al Sol.

6 Construye frases utilizando las siguientes palabras:

andino | cordillera | convento | arqueólogo

ruinas | explanada | sumo sacerdote

Tambores en la oscuridad

8 La fiesta de san Juan Bautista

VENEZUELA

En la playa suenan los tambores como en lo más profundo de África. Los cuerpos se mueven a un ritmo frenético[1] bajo las palmeras y el ron corre de boca en boca. Amy Randall se une a una celebración que combina rituales católicos con el vudú[2] para celebrar la fiesta de san Juan Bautista.

1 ritmo frenético ritmo muy rápido y enloquecido.
2 vudú prácticas religiosas procedentes de África con magia y sacrificios rituales.

Barlovento es una franja de la costa de Venezuela, formada por varios pueblos y situada al este de Caracas, la capital del país. Los pueblos de Barlovento celebran con entusiasmo la fiesta de san Juan Bautista, sobre todo Caruao, a donde yo me dirijo.

Desde Caracas he llegado a Caruao en un coche de alquiler con Margarita y Darío, unos amigos venezolanos que nacieron en Caruao pero viven en la capital. Darío es músico percusionista y viene a tocar los tambores en la fiesta de san Juan.

—Los habitantes de Barlovento descendemos en gran parte de los esclavos negros que los colonos trajeron de África para trabajar en las grandes plantaciones de cacao de Venezuela —me explica Margarita, que estudia Antropología en la Universidad de Caracas. —En la región dominan la cultura y el folclore africanos, que combinan elementos del catolicismo con el vudú y los rituales de la santería.

—Yo he oído hablar del vudú y de las agujas clavadas en muñecos para hacer daño a alguien, pero no sé que es la santería.

—Pues creer al mismo tiempo en los poderes de los santos católicos y de los dioses africanos. Y en los del santero, claro.

—¿El santero?

—El intermediario entre los santos, los dioses y los creyentes.

Margarita me cuenta que aunque la esclavitud fue abolida en 1823 por Simón Bolívar, el gran héroe de la independencia americana, los esclavos de esta zona no se emanciparon[3] hasta 1854.

—Nuestros antepasados formaron pueblos aislados y conservaron sus tradiciones, que sobreviven hasta ahora. Las influencias más importantes vienen de los pueblos africanos Bantú, Yoruba y Mandingo.

Con la llegada del verano, los pueblos de Barlovento abandonan la monotonía para celebrar la fiesta de san Juan Bautista, la noche del 23 de junio. También es frecuente bautizar[4] a los niños en estas fechas. Tras la ceremonia religiosa se celebra una verdadera fiesta afroamericana, al ritmo de los tambores, que suenan sin cesar toda la noche.

Esa misma noche, Margarita y yo bajamos a bailar a una pequeña playa donde también hay bares y por el camino escuchamos el sonido de los tambores. Cuando llegamos, la playa está llena de gente bailando y bebiendo ron. Darío también está allí, tocando con un grupo de percusionistas.

3 emanciparse liberarse de la esclavitud.
4 bautizar ceremonia religiosa mediante la cual la persona pasa a ser miembro de la comunidad cristiana.

Los tambores son los protagonistas de las fiestas. Su rítmico sonido es hipnotizador, como los latidos del corazón de la Tierra. En la playa hay varios tipos de tambores; Darío toca uno alto, que a mí me llega hasta la cadera[5], y me lo presta un momento mientras baila con Margarita.

—Es fácil —me asegura. —Sólo tienes que sentir en tu sangre el ritmo y dejarlo que te salga por las manos.

¿Fácil? Será fácil para él, pero para mí es imposible seguir el ritmo que imponen los otros tambores. Después de muchos esfuerzos y de sudar hasta quedar empapada[6], tengo que reconocer que los tambores no son para mí. Los músicos se dan cuenta de que estoy perdida y uno de ellos se acerca riendo.

—Toma, prueba con esto —me dice y me pasa una gran caracola con un agujero en un lado para apoyar los labios. —Sopla.

Al soplar se produce un sonido profundo, que parece salir del fondo del mar y que acompaña a los tambores.

—Esto está mucho mejor —comento aliviada.

Todos los percusionistas del grupo son hombres y hay algunas mujeres que cantan. Casi todo el resto de la gente baila en pareja: las señoras mayores bailan entre ellas; las madres bailan con sus niños pequeños; los niños más grandes imitan a los mayores y los ancianos que ya no pueden bailar observan a los demás, mientras hablan y beben aguardiente, una bebida alcohólica muy fuerte. Todos lo pasan muy bien.

Un muchacho me invita a bailar. Es guapísimo, con el pelo rizado y muy corto y la piel de un negro tan brillante que parece azul a la luz de la luna.

Al principio me da vergüenza salir a bailar pero todo el mundo me anima. He tomado algunas clases de salsa en Londres, pero esto es demasiado complicado para mí, que crecí jugando al tenis y montando a caballo. Tengo buena coordinación de movimientos, pero no tengo el ritmo que tiene él.

Los músculos de su cuerpo se contraen y se relajan de forma impresionante y tiene el ritmo hasta en los ojos. Yo me siento muy patosa[7] a su lado y le pongo una excusa para dejar de bailar. En realidad soy mucho más tímida con los hombres de lo que parezco a primera vista. Cuando me siento, un hombre mayor con un sombrero panamá viene a pedirme que baile con él, pero yo ya tengo bastante baile por ahora. Le digo amablemente que no y me siento en la arena a observar a los demás y a tomarme una *polarcita,* la cerveza local, bien fría.

Darío vuelve a su tambor y Margarita viene a sentarse conmigo.

5 cadera parte del cuerpo donde se une la pierna con el tronco.
6 empapada muy mojada.
7 patoso/a de movimientos torpes, sin gracia.

—¿Ves a esa mujer gorda que hace gestos alrededor de la hoguera? —me pregunta.

—¿La del turbante[8] en la cabeza?

—Sí. Es Juana, la santera del pueblo y una experta en vudú. Es también muy devota[9] de san Juan. Todas las mañanas va a misa y le lleva flores o velas al santo y por las tardes recibe gente en su casa.

—¿Y a qué van a su casa?

—A curarse de alguna enfermedad, pero también para pedirle que le pase algo malo a algún vecino o algún pariente al que odian.

Siento curiosidad y me acerco hasta donde está Juana para hablar con ella. Me gustaría entrevistarla pero me doy cuenta de no es el momento apropiado. Alrededor de ella hay un círculo de gente atenta a lo que hace.

—¿Y qué es lo que está haciendo ahora? —le pregunto a Margarita, que se ha acercado conmigo.

—Parece un ritual de santería.

En un altar improvisado hay varios santos y figuras alumbradas por velas. También hay un muñeco de unos veinte centímetros de alto.

Juana tiene la mirada perdida. De repente empieza a moverse alrededor del fuego con movimientos cada vez más rápidos, al ritmo de los tambores, y a decir cosas en una lengua que no entiendo. Parece poseída[10] por algún espíritu maligno. Sigue moviéndose a un ritmo frenético hasta caer al suelo. Los tambores dejan de sonar. Entonces se levanta con los ojos fijos en el altar, coge el muñeco y empieza a clavarle agujas.

—¡Es vudú! —exclama Margarita asustada. —Lo mejor es que no te acerques demasiado a ella si no quieres ser víctima de sus temibles agujas.

Creo que Margarita tiene razón. Yo no creo en brujerías pero voy a mantenerme alejada de Juana. Por si acaso.

La fiesta sigue durante toda la noche; de repente, hacia las tres de la mañana empieza a llover pero a nadie parece importarle. Es una lluvia alegre y cálida que da gusto sentir en la cara y en la piel, no como la de Inglaterra.

Cuando sale el sol, la mayoría de la gente se marcha a casa a dormir, pero muchos otros, agotados, se quedan a dormir en la playa. Yo me tumbo debajo de una palmera, agotada tras una noche tan intensa. Los tambores han cesado de tocar pero en mi cabeza resuenan todavía y me duermo escuchando unos sonidos que llegan hasta mí desde el corazón de África.

8 turbante trozo largo de tela que se coloca alrededor de la cabeza.
9 devoto/a que tiene mucha sentimiento religioso.
10 poseído estar dominado.

A VER SI HAS ENTENDIDO

1 Responde a las preguntas:

a ¿Dónde se encuentra Barlovento?

b ¿Cómo viaja Amy desde Caracas a Caruao?

c ¿Qué instrumento toca Darío?

d ¿Qué hace Juana todas las mañanas?

e ¿Dónde clava Juana las agujas?

f ¿Bajan Amy, Margarita y Darío juntos a la playa?

g ¿Qué objetos hay en el improvisado altar de Juana?

2 ¿Verdadero o falso?

	V	F
a Margarita y Darío viven en Caracas.	☐	☐
b Amy toca muy bien el tambor.	☐	☐
c Juana lleva una gorra en la cabeza.	☐	☐
d Barlovento se encuentra en el interior del país.	☐	☐
e Algunos creen en los santos católicos y en los dioses africanos.	☐	☐
f Tras la fiesta, todos van a sus casas a dormir.	☐	☐
g Amy entrevista a Juana.	☐	☐

3 Completa la información según el texto:

a La zona de Barlovento está formada por ____________________

b La cultura y el folclore africanos ____________________

c Los colonos tenían esclavos negros para trabajar en ____________________

d El sonido de la caracola parece salir ____________________

e Por las tarde, Juana recibe ____________________

f Alrededor de Juana hay un círculo ____________________

g Hacia las tres de la mañana ____________________

4 Relaciona y forma frases con información de la lectura:

Los pueblos de Barlovento •	• estudia Antropología en Caracas.
Algunos habitantes de Barlovento •	• descienden de esclavos negros.
Juana •	• invita a Amy a bailar.
Un anciano •	• es la curandera del pueblo.
Margarita •	• se emanciparon en 1854.
Los esclavos de Barlovento •	• celebran con entusiasmo la fiesta de san Juan Bautista.

5 ¿Cuántas palabras puedes añadir a cada lista?

Productos tropicales	Carreras universitarias	Árboles
cacao,	*antropología,*	*palmera,*

6 Simón Bolívar, "El Libertador", es uno de los personajes más importantes de la historia de Hispanoamérica. Escribe su biografía con la información siguiente:

Fecha y lugar de nacimiento: 1783, Caracas.

Origen: hijo de una familia rica de ascendencia española.

1797: entra en el ejército.

1799-1801: estancia en España para ampliar estudios y en Francia.

1802: matrimonio y regreso a Venezuela.

1803: enviuda y residencia en París; en Roma promete luchar por la independencia de Hispanoamérica.

1807: regreso a Venezuela, planes independentistas.

1810: comienza lucha contra los españoles, asciende a coronel.

1815-1816: exilio en Jamaica y Haití.

1819: creación de la República de Colombia (actuales Colombia, Ecuador, Panamá y Venezuela).

1819-1826: ayuda a movimientos de liberación de numerosas regiones americanas.

Fecha y lugar de su muerte: 1830, Santa Marta (Colombia).

1842: sus restos mortales son trasladados a Venezuela.

Reinado tropical

9 La Feria del café

COLOMBIA

El café forma parte de la cultura moderna, no sólo por su efecto estimulante sino por su significado social. Es también uno de los productos más importantes de Colombia y una de las bases de su economía. Sin imaginarse lo que le espera, Amy Randall viaja a Colombia para descubrir la Feria del café.

Colombia es el segundo país exportador mundial de café. La zona cafetera se sitúa en las pendientes de las cordilleras de las zonas templadas, en una serie de departamentos, entre los que se encuentra Quindío, donde cada año se celebra la multitudinaria[1] Feria popular del café.

Esta fiesta dura tres días y se celebra normalmente a principios de julio en Calarcá, una ciudad situada en la cordillera Central.

Al contrario que muchas otras fiestas de Latinoamérica que recuerdan antiguas tradiciones indígenas o fueron introducidas por los españoles, la Feria del café es una celebración bastante moderna.

—Nació en 1960 cuando el alcalde de Calarcá reunió a las autoridades de la región para encontrar una solución al problema de la violencia y crear unos eventos populares para favorecer la paz y el progreso —explica Nelson Echeverry, uno de los organizadores. —Los calarqueños[2] celebraron un gran baile en el parque de Bolívar que duró toda la noche. Aquel baile fue el origen de la actual Feria del café.

Sin embargo, aunque todavía hay bailes y música, el principal acontecimiento de la fiesta es ahora un concurso de belleza. En él se escoge la Reina del café entre las candidatas más hermosas de las regiones cafeteras. Junto a la Reina del café, se escoge también una virreina y una princesa.

En mi hotel se alojan varias jóvenes muy bellas. Son las candidatas que vienen a competir por el reinado del café. Están muy nerviosas, pero son muy simpáticas y durante el desayuno, aprovecho para entrevistarlas.

—¿No creen ustedes que los concursos de belleza son eventos machistas en los que se juzga a las mujeres sólo por su físico? —les pregunto. Yo tengo muy claro que estoy en contra de este tipo de concursos.

—No, yo no estoy de acuerdo —responde Sonia Marcela, candidata por el departamento de Antioquia. —Para nosotras esto puede ser una gran oportunidad. Si ganamos podemos conseguir trabajo como modelos, o incluso en televisión.

—Una vez que tengamos el trabajo ya demostraremos si somos inteligentes —añade Nohora Patricia, representante de Barranquilla.

—Además, ¿qué le da derecho a pensar que la belleza compite con la inteligencia? —dice algo enfadada María del Pilar, la candidata de Córdoba.

A mí no me convencen sus argumentos, creo que tengo que pasar más tiempo con ellas para comprenderlas, por eso decido acompañarlas al Parque

1 multitudinario que reúne a un gran número de personas.
2 calarqueños habitantes de Calarcá.

del café, un parque turístico de atracciones. Allí tomamos el Tren del café, que hace un recorrido que explica parte de la historia de Colombia.

Después vamos a una finca[3] donde las candidatas participan en un concurso de recetas de cocina con el café como protagonista.

—¿Cuál es el origen del café? —le pregunto a Nelson, que nos acompaña.

—El cafeto, la planta del café, es originaria de África, exactamente de Abisinia, lo que hoy es Etiopía. Dicen que un pastor[4] lo descubrió cuando observó que sus cabras saltaban como locas después de comerse una planta con frutos rojos. El joven llevó la planta al abad[5] de un monasterio que la coció en agua. Estaba tan amarga que el abad quemó la planta, pero al quemarse el aroma era tan rico que éste decidió experimentar tostando los granos hasta que descubrió la bebida. Posteriormente, los españoles trajeron la planta del café a América.

Mientras hablamos, Sonia Marcela cocina unos deliciosos ravioli en salsa de café, aunque la cacerola[6] de pollo al café de Ángela María, candidata por Huila, tampoco está nada mal.

3 finca propiedad rústica o urbana; en este caso una casa en el campo con tierras alrededor.
4 pastor persona que cuida de un rebaño de animales.
5 abad autoridad religiosa.
6 cacerola recipiente para cocinar y también nombre de un guiso.

—Ustedes dos se parecen como dos gotas de agua[7], parecen hermanas —comenta María del Pilar hablando de Sonia Marcela y de mí, mientras pruebo sus fantásticos frijoles blancos al café. Y es cierto que nos parecemos.

Cuando volvemos al hotel, las candidatas se acuestan temprano para prepararse para el día siguiente, pero Nelson insiste en invitarme a tomar diferentes variedades de café.

Primero tomamos un café caliente con canela y después un café con otra especia llamada cardamomo, para terminar con un café moka caliente. Creo que no podré volver a dormir jamás, pero Nelson me convence para ir a su casa para probar un *quindío* tropical, un combinado de café que prepara Aline, su mujer. Es delicioso.

—¿Qué lleva? —le pregunto a Aline.

—Café negro, licor de café, licor de mandarina y aguardiente[8] de la región. Se calientan los ingredientes y se sirven en una ollita de barro colocando tres granos de café dentro de la bebida.

A las seis de la mañana del domingo todavía estoy despierta. Con tanta cafeína no he podido pegar ojo[9]. De repente suena el teléfono de mi habitación y al contestar escucho una voz de mujer con un dulce acento colombiano.

—Amy, soy Sonia Marcela. Perdona que te moleste pero necesito que me hagas un favor.

—¿Un favor?

—Sí, ¿puedes venir a mi cuarto ahora mismo? Es urgente.

—¿Ahora mismo? ¿Qué pasa?

—Ven rápido, ahora te cuento.

—Está bien, voy en seguida.

—Muchas gracias. Te espero. Es la 203.

—Entra, entra, está abierto —me contesta cuando llamo a la puerta.

Sonia Marcela está sentada en el suelo del cuarto de baño. Está pálida y tiene ojeras[10].

—¿Qué te pasa? —le pregunto mientras le ayudo a levantarse.

—Me siento muy mal. Tengo mucho frío y la cabeza me da vueltas.

—Lo mejor es que te acuestes.

—Pero tengo que ir al desfile en traje de baño, si no me presento me descalificarán.

7 **parecerse como dos gotas de agua** ser prácticamente iguales.
8 **aguardiente** bebida alcohólica.
9 **no pegar ojo** no dormir.
10 **ojeras** manchas oscuras debajo de los ojos que suelen salir a las personas cuando están muy cansadas o no han dormido bien.

—No puedes ir así.

—Ya lo sé, por eso te pido el favor de que te presentes por mí.

—¿Cómo? ¿Presentarme yo a un concurso de belleza?

—No puedo dejar vacío el puesto de Antioquia y ya lo oíste anoche, tú y yo nos parecemos muchísimo.

Yo no sé que hacer. Esto va en contra de mis principios, pero sé lo importante que es para ella.

—Está bien, te sustituiré, pero sólo esta mañana... pero espero no tener que hablar porque entonces notarán mi acento inglés.

—Tú sonríe, sonríe y no digas nada —me aconseja Sonia Marcela.

Y así, en bañador, me presento con las otras candidatas al desfile ante un público que nos aplaude con entusiasmo. Después nos presentamos ante el jurado, que nos observa y toma notas. Yo sonrío a todo el mundo pero no digo

ni una palabra. ¡No me lo puedo creer, yo tomando parte en un concurso de belleza!

Cuando termina el desfile en bañador nos vestimos con el traje tradicional de *chapolera*, que consiste en una blusa blanca y una falda ancha con volantes. Sobre la falda, llevo un delantal blanco bordado y flores y adornos en el pelo. También llevo unos zapatos de tacón altísimos. No comprendo cómo las chicas pueden andar con ellos sin romperse un tobillo.

Tras el desfile vuelvo deprisa al hotel. Sonia Marcela tiene mucha mejor cara.

—Estoy mejor, gracias —me asegura. —Esta tarde volveré al concurso. ¡Te agradezco tanto lo que has hecho por mí!

Por la tarde se celebra el desfile de carrozas por las calles de Calarcá. Algunas participantes van vestidas con trajes típicos, otras al estilo del carnaval de Río de Janeiro. Yo me alegro de estar de nuevo entre el público. En el desfile también participan bandas de música y grupos de danzas tradicionales.

Y por fin llega la noche del domingo y el veredicto[11] del jurado. Las candidatas están muy nerviosas y yo también. Ya no sé si es la cafeína que llevo en el cuerpo o la emoción. Tras una bonita gala con varios espectáculos, el jurado comunica su decisión:

—¡La reina de este año es la representante del departamento de Barranquilla, la señorita Nohora Patricia Martínez!

No puedo negar que me siento un poco decepcionada, pero pronto me consuelo porque Sonia Marcela es elegida Princesa del café. Y ustedes y yo sabemos a quién le corresponde un poco el mérito. El café nunca tendrá el mismo significado para mí, ahora que sé que, en secreto, tengo la mitad del título de princesa.

11 veredicto decisión de un jurado.

A VER SI HAS ENTENDIDO

1 Contesta a estas preguntas:

a ¿En qué habitación se hospeda Sonia Marcela?

b ¿Cuál es el principal acontecimiento de la Feria del café?

c ¿Qué ventaja puede tener el conseguir ser elegida Reina del café?

d ¿Con qué ingredientes se prepara el *quindío* tropical?

e ¿Qué día de la semana se celebra el concurso de belleza?

f ¿Por qué decide Amy ayudar a Sonia Marcela?

g ¿Qué le ocurre a Nohora Patricia?

2 Relaciona y forma frases con información de la lectura:

Colombia •	• es originaria de África.
La Feria del café •	• es el segundo país exportador de café.
Las candidatas •	• participan en un concurso de recetas de cocina.
Tras el desfile, Amy •	• es una de las bases de la economía colombiana.
El café •	• es bastante moderna.
Además de la Reina del café •	• vuelve deprisa al hotel.
La planta del café •	• se elige una virreina y una princesa.

3 ¿Verdadero o falso?

	V	F
a Amy participa en el desfile de carrozas.		
b El Tren del café recorre el departamento de Quindío.		
c El café se puede preparar con distintas especias.		
d Amy está a favor de los concursos de belleza.		
e Las candidatas deben desfilar dos veces ante el jurado.		
f Quindío se encuentra en una zona templada de Colombia.		

4 **Completa el correo electrónico que Amy envía a su amiga María:**

"Co-princesa" del café

Enviar Chat Adjuntar Agenda Tipo de letra Colores Borrador

Para: María Pérez

Asunto: "Co-princesa" del café

Firma: Ninguna

Hola María:

No te vas a creer lo que te voy a contar. Estoy en ___________, una ciudad ___________ donde ___________ hace unos días para escribir un reportaje sobre la Feria del café. El evento principal de las fiestas es ___________. ¿Y qué crees que me ha pasado? Curiosamente, Sonia Marcela, una de las candidatas a Reina y yo ___________ gotas de agua. Bueno, pues el mismo día del concurso, a las seis de la mañana ___________ y era Sonia que me llamaba desde su habitación del hotel. ¿A qué no sabes para qué? Se sentía enferma y, como nos parecemos, tanto me pidió que yo ___________. Tú me conoces bien y sabes que ___________ los concursos de belleza, pero como era tan importante para ella, acepté.

Desfilé dos veces, una vestida ___________ y otra ___________. Por supuesto ___________ para que no notaran mi acento inglés.

Por la tarde Sonia estaba mejor y yo volví a mi trabajo de reportera. Como Sonia fue elegida ___________, yo también me siento algo princesa. ¿No te parece divertido?

Besos

Amy,

"Co-princesa" del café

5 **Ordena los acontecimientos del día anterior al concurso de belleza y rescribe el texto en tercera persona uniendo las frases con nexos como por ejemplo:** por la mañana, más tarde, después, a continuación, por la tarde, **etc.**

☐ Durante el desayuno aprovecho para entrevistar a las candidatas.

(por ejemplo: ***Por la mañana,*** *durante el desayuno* ***Amy aprovechó*** *para entrevistar a las candidatas.*)

☐ Tomamos el Tren del café.

____

☐ Cuando volvemos al hotel las candidatas se acuestan temprano para prepararse para el día siguiente.

____

☐ Creo que tengo que pasar más tiempo con ellas para comprenderlas, por eso decido acompañarlas al Parque del café.

____

☐ Vamos a una finca donde las candidatas participan en un concurso de recetas de cocina.

____

☐ Nelson insiste en invitarme a tomar diferentes variedades de café.

____

6 **Enumera los tipos de café o combinados de café que prueba Amy invitada por Nelson.**

____

____

____

____

El legado de África

10 El carnaval de Santiago

CUBA

Desde el balcón de una casa colonial del centro de Santiago y bajo el cálido cielo de Cuba, se escucha la melodiosa música dominada por los tambores. En pleno verano Amy Randall viaja a Cuba para disfrutar del carnaval afrocaribeño más espectacular de la isla.

El carnaval es una fiesta de origen religioso que se celebra tradicionalmente en febrero, antes de la Cuaresma[1]. En cambio, el carnaval de Santiago de Cuba se celebra en pleno verano, cuando hace tanto calor en la isla que apenas se puede trabajar y mucha gente está de vacaciones.

Santiago de Cuba, que fue capital de la isla hasta 1556, es la más caribeña de las ciudades cubanas. Está situada en la provincia de Oriente, en una bonita bahía, y rodeada de las montañas de la Sierra Maestra. Sus calles inclinadas[2] y sus playas están dominadas por la fortaleza de Pedro de la Roca del Morro, construida entre los siglos XVI y XVII para proteger a la ciudad de los numerosos ataques de piratas y corsarios[3].

He llegado a Cuba para asistir al carnaval. En La Habana, la actual capital, alquilo un coche para viajar a Santiago. Llego cuando está saliendo el sol y antes de entrar en la ciudad el paisaje es espectacular, con pequeñas granjas donde algunos granjeros ya han empezado a trabajar la tierra.

En Santiago hace tanto calor y humedad que apenas se puede respirar. Menos mal que me alojo en una bonita casa particular que está fresca por dentro. Es una casa colonial con un patio interior y gruesos muros de adobe[4] para protegerla del calor, decorada con unos bellos azulejos. En el centro histórico de Santiago quedan muchas casas como ésta, construidas durante la época en que Cuba era una colonia española. De aquella época quedan también iglesias y mansiones.

La casa donde me alojo se encuentra en el barrio de Tívoli, corazón del carnaval. Mi anfitrión[5] se llama Lucio Duarte.

Cuando me instalo, Lucio me acompaña a dar una vuelta. Muy pronto siento que me envuelve la magia de una ciudad muy especial. En Santiago, se fundieron[6] distintas culturas y de esta fusión nació otra nueva cultura muy rica. El mestizaje, es decir la mezcla de razas, es muy grande en la ciudad y hay mucha influencia de la raza negra entre sus habitantes.

Las calles están muy animadas y mientras tomamos una cerveza en uno de los puestos callejeros, Lucio me habla del origen del carnaval.

—El carnaval de Santiago data de fines del siglo XVII. Entonces era una fiesta religiosa que tenía lugar el 25 de julio para celebrar el día de Santiago Apóstol, que es el patrón de la ciudad. Se celebraba una procesión en honor del santo en la que podían participar los esclavos que venían de las plantaciones y los negros que pertenecían a los cabildos. Estos esclavos iban al final

1 Cuaresma en la iglesia cristiana, período de cuarenta días que precede a la Pascua de Resurrección.
2 inclinado/a con un extremo más alto que el otro.
3 corsarios piratas que "trabajan" para un Estado, al que le entregan parte del botín.
4 adobe mezcla de barro con paja que se utiliza en la construcción de muros.
5 anfitrión persona que recibe en su casa a otra como invitada.
6 fundirse mezclarse.

de la procesión tocando sus instrumentos y bailando. Muchos de ellos llevaban máscaras y disfraces.

—¿Qué eran los cabildos? —le pregunto.

—En su origen, eran agrupaciones de esclavos que se reunían los días festivos par celebrar sus fiestas según las costumbres de su tierra de origen.

—¿Y los esclavos no aprovechaban el carnaval para escapar?

—Sí, claro, y algunos lo lograban, gracias al anonimato de las máscaras. Otros utilizaban el desfile para denunciar injusticias sociales.

Con el tiempo el carnaval de Santiago ha evolucionado hasta convertirse en un festival popular y cultural que atrae a numerosos turistas y estudiantes cubanos de danza y percusión.

—Si le gusta la música cubana tendrá la oportunidad de escuchar a algunos de los mejores grupos en directo. Siempre hay músicos de categoría internacional —comenta Lucio.

—A mí me gusta mucho la salsa pero sobre todo soy una enamorada del bolero[7] —confieso. —Porque es elegante y muy romántico.

—¿El bolero? El bolero nació en Santiago, señorita —ríe Lucio, —pero también la conga[8]. Precisamente esta noche toca un grupo de boleros en la plaza que hay junto a mi casa. Desde allí se ve y se oye fenomenal. Así no tendremos que hacer cola para encontrar un buen sitio.

Los cubanos son amables y muy alegres. Hay música y bailes por todas partes.

7 bolero canción de tema romántico.
8 conga música y danza popular, los bailarines bailan en fila al compás de un tambor.

—¡Vamos a unirnos a esa conga! —grita Lucio tirando de mi brazo cuando llegamos a la avenida Garzón, por donde pasan muchos desfiles.

Las congas, llamadas también desfiles de congueros, son características del carnaval de Santiago. Son verdaderas procesiones en las que una multitud marcha bailando y cantando canciones improvisadas por las calles de la ciudad, al son de los tambores y de otros instrumentos de percusión. Lucio y yo nos unimos al desfile. Los músicos, que comenzaron al frente, van quedándose cada vez más atrás, a medida que el desfile va haciéndose más numeroso.

Los bailes y los tambores que suenan en el carnaval evocan la música africana. Tienen una gran influencia de la música y las danzas del oeste de

África que trajeron los esclavos procedentes del continente africano y de los inmigrantes que llegaron de Haití, que se encuentra al otro lado del estrecho[9].

—Muchas de las danzas afrocaribeñas del carnaval están dedicadas a dioses africanos —me explica Lucio. —Mire, los que visten de azul son los seguidores de Yemayá, la diosa de los océanos, y los de amarillo los de Ochún, la diosa del amor.

Detrás de la conga desfilan unos personajes llamados muñecones, que son los favoritos de los niños. Son personajes de la literatura y el mundo infantil en forma de grandes muñecos portados por hombres. Veo pasar, entre otros a Caperucita Roja, a Pinocho, a Robin Hood y a Blancanieves.

Parece que la fiesta en las calles no se acaba nunca y las comparsas se ven muy bien desde el balcón de la casa de Lucio. Mientras me tomo un refresco antes del almuerzo, veo pasar desde el balcón una con decenas de de personas bailando. Van vestidos con trajes de alegres colores y con su coreografía representan las costumbres y la vida de Santiago. Van junto a carrozas decoradas con luces sobre las que danzan otros bailarines. Muchos participantes llevan máscaras de cartón piedra[10] y de colores vivos en forma de animales o caricaturas de personas.

—Las comparsas que actúan en el carnaval pasan meses preparando sus disfraces, canciones y bailes —me explica Mario, el hermano de Lucio.

Por la tarde, después de una siesta no muy tranquila, a causa de la música que suena por todas partes, salimos a dar un paseo. Por toda la ciudad, los conjuntos musicales tocan salsa, merengue, son y otras músicas de diferentes estilos. La gente camina de un lugar a otro escuchando la que más le gusta.

Por la noche Lucio ha cocinado en su casa bananas fritas y ha traído varias botellas de ron y de cola para preparar una bebida que aquí llaman *cubalibre*. Sus amigos y su familia se han reunido para escuchar el concierto de boleros.

—El carnaval para nosotros es como la Navidad, los cumpleaños o el día de fin de año —comenta Lucio. —Ni los problemas cotidianos, ni los huracanes, ni las lluvias torrenciales[11] son capaces de detenerlo porque es sagrado.

Para ellos es sagrado, pienso yo, pero para mí también es mágico. Esta música melodiosa, bajo el cielo estrellado del Caribe, me hace sentir rodeada de embrujo[12], un embrujo imposible de encontrar en mi piso del centro de Londres.

9 estrecho paso entre dos tierras muy cercanas separadas por el mar.
10 cartón piedra pasta de papel, yeso y aceite que se endurece y se utiliza para hacer figuras.
11 lluvia torrencial lluvia fuerte y abundante.
12 embrujo encanto misterioso y difícil de explicar.

1 ¿Verdadero o falso?

	V	F
a Amy llega a Santiago por la mañana.		
b Los carnavales en otros países se celebran tradicionalmente en julio.		
c En el centro histórico de Santiago quedan muchas casas de la época colonial.		
d Ningún esclavo podía participar en las fiestas de Santiago Apóstol.		
e Durante el carnaval, los grupos de música actúan solamente en teatros y salas de fiesta.		
f Amy viaja en coche alquilado desde La Habana hasta Santiago.		
g La música cubana tiene influencias africanas.		
h Si llueve se suspenden las fiestas del carnaval.		

2 Relaciona y forma frases con información de la lectura:

Amy piensa que el bolero •	• era una fiesta religiosa.
Los muñecones •	• es la diosa de los océanos.
Muchas carrozas •	• son los favoritos de los niños.
Yemayá •	• data de finales del siglo XVII.
En su origen el carnaval •	• atrae a turistas y estudiantes de danza y percusión.
El carnaval •	• llevan máscaras de cartón piedra.
El carnaval de Santiago •	• es elegante y romántico.

3 Elige la respuesta correcta:

A. El carnaval de Santiago...

a tiene su origen en una fiesta religiosa.

b empezó como una fiesta privada.

c es de origen inca.

B. El verano santiaguero es...

a cálido y seco.

b frío y seco.

c cálido y húmedo.

C. Entre los habitantes de Santiago...

a hay muy poco mestizaje.

b predomina la raza blanca.

c hay mucha influencia de la raza negra.

4 Completa las informaciones según el texto:

a El carnaval de Santiago es muy original porque ______________________

b Santiago es la ciudad más importante de ______________________

c En los alrededores de Santiago los granjeros trabajan ______________________

d Algunos esclavos aprovechaban el anonimato de los disfraces para ______________________

e Las bandas y comparsas pasan meses preparando ______________________

5 Responde a las preguntas:

a ¿Dónde se aloja Amy en Santiago?

b ¿En qué época fue construida la casa de Lucio?

c ¿Qué eran los cabildos?

d ¿Quién es Ochún?

e ¿Qué tipo de instrumentos son los más comunes en el carnaval de Santiago?

f ¿De qué color van vestidos los devotos de Yemayá?

g ¿Qué estilos de música se pueden escuchar durante las fiestas de carnaval?

6 **En el mundo de habla hispana existen numerosas ciudades llamadas Santiago, pero hay diferencias en el nombre con que se conoce a sus habitantes. ¿De cuáles de las siguientes ciudades son las personas que hablan?**

- [ ] Santiago de Chile (Chile)
- [ ] Santiago de Compostela (España)
- [ ] Santiago (República Dominicana)
- [ ] Santiago de Cuba (Cuba)

a Soy santiaguero, vivo en una ciudad isleña famosa por su carnaval, que se celebra en julio.

b Soy santiagués o compostelano, vivo en una ciudad europea muy famosa porque, según la leyenda, en su catedral se guarda la tumba de Santiago Apóstol.

c Soy santiaguino, mi ciudad es la capital de una país suramericano muy largo y estrecho.

d Soy santiaguense, mi ciudad está en un país que ocupa la mitad de una isla; la otra mitad es Haití.

7 **Con la información que da Amy Randall en este capítulo, escribe un pequeño texto turístico sobre Santiago de Cuba. Utiliza también los siguientes datos:**

Historia: fundada en 1515, capital de Cuba (1525-1556); actualmente capital de la provincia de Santiago.

Población: 500 000 habitantes, origen africano, español y franco-haitiano.

Ubicación geográfica: sureste de Cuba, alrededor de la bahía de Santiago de Cuba y rodeada de montañas.

Lugares de interés: Ayuntamiento, Casa de Diego Velázquez, Castillo de Pedro de la Roca del Morro, Museo de la Piratería, Museo del Carnaval, Cementerio de Santa Ifigenia.

Alrededores: Playas, plantaciones de café en la Sierra Maestra, Reserva de la Biosfera.

Clima: subtropical (temperatura media 26,3° C); época de lluvias: mayo-octubre; época seca: noviembre-abril.

Principales fiestas: Festival del Caribe (1ª semana julio), Carnaval (finales julio).

Actividades deportivas: buceo y deportes acuáticos.

La danza de los bailantes

Moros y cristianos de Boaco

NICARAGUA

Los moros[1] ocuparon la Península Ibérica[2] durante varios siglos, pero nunca llegaron a América. Sin embargo una ciudad de Nicaragua celebra con gran entusiasmo las fiestas de moros y cristianos. Amy Randall asiste a esta fiesta popular que recuerda batallas ocurridas muy lejos de allí.

1 **moro** se llamó así a los musulmanes que vivieron en España desde el siglo VIII al XV.

2 **Península Ibérica** territorio situado en el sur de Europa que comprende España y Portugal.

Cuenta una leyenda que el apóstol Santiago llegó a España y que, subido a un caballo blanco, ayudó a los cristianos a vencer a los moros que habían invadido la península. Desde hace siglos en algunas regiones de España se recuerda esta victoria celebrando las fiestas de moros y cristianos. Tras el descubrimiento de América, los conquistadores y los colonos que se instalaron en el nuevo continente, llevaron consigo estas fiestas. Esta tradición se celebra todavía en la ciudad de Boaco, en el centro de Nicaragua, a 103 km de Managua, la capital del país.

Boaco es una ciudad de clima agradable y gente acogedora que se encuentra en las montañas de Amerrisque, a 379 m sobre el nivel del mar. El patrón de la ciudad es Santiago Apóstol, que es también el patrón de España, y sus fiestas se celebran la semana del 25 julio.

Para asistir a esta versión nicaragüense de moros y cristianos, llego a Boaco el 22 de julio, el día que empiezan las fiestas. En la plaza me espera Abel Sánchez, organizador de las fiestas. Junto a él contemplo la Procesión de los bailantitos, un desfile infantil en el que los niños van vestidos de moros y cristianos.

La ciudad está muy animada, con gente que viene de todas partes. Nadie quiere perderse las fiestas. Menos mal que no tengo que buscar hotel porque Abel me hospeda[3] en su casa familiar, situada en el centro de la ciudad. Al día siguiente vamos con su mujer y sus hijos a ver el Tope de San Felipe, un desfile de jinetes[4] que anuncia la llegada de la imagen de Santiago para presidir las fiestas. La salida del patrón a las calles de su ciudad es recibida con entusiasmo por los habitantes de Boaco. La imagen del santo es acompañada por mucha gente que baila al son de la música de las bandas.

Durante la semana de fiestas hay mucho ambiente en Boaco. Por las mañanas me despierta una banda de música que recorre la ciudad invitando a los vecinos a levantarse y participar en las celebraciones, mientras que las noches terminan con impresionantes espectáculos de fuegos artificiales. Sin embargo, el día que todos esperan es el 25 de julio. Ese día, festividad de Santiago, se celebra una gran procesión para pasear la imagen del santo por las principales calles de la ciudad.

Durante esta procesión tiene lugar el espectáculo más interesante de las fiestas de Boaco: la danza de los bailantes, que evoca la lucha entre moros y

3 hospedar invitar a una persona a quedarse a dormir en casa de uno.
4 jinete persona que monta a caballo.

cristianos. Es una representación única en Nicaragua por su originalidad y su colorido y se conserva gracias al interés de los indígenas.

Los bailantes son campesinos que dejan sus labores del campo para rendir tributo[5] al santo durante las fiestas, en una tradición que se remonta al siglo XVII y que se transmite de generación en generación. Estos bailarines acompañan a la imagen en su recorrido por las calles y le llevan de regreso hasta las puertas de la iglesia.

La danza de los bailantes se compone de 37 participantes, entre moros y cristianos, y del *bailantito*, un niño que representa al hijo del rey moro.

—Todos los niños de la ciudad sueñan con ser elegidos para el papel —me explica Abel, que está viendo la procesión a mi lado —porque es como ser el protagonista de las fiestas.

Como he oído hablar tanto de los bailantes, los espero con impaciencia hasta que los veo llegar, tras la imagen del santo. Van vestidos con pantalones

5 rendir tributo expresar respeto hacia alguien.

largos de tonos oscuros, botas de cuero negro y camisetas de alegres colores. Del pecho, la espalda y los brazos cuelgan varios pañuelos y en la mano derecha llevan una sonaja[6] adornada con cintas de colores. Los moros y los cristianos llevan objetos que los diferencian a unos de otros; por ejemplo los cristianos llevan en la mano izquierda una espada de madera y los moros, un bastón con forma de serpiente.

Los cascos que protegen la cabeza de los moros tienen forma de minarete[7], por su religión musulmana; por su parte, el de su rey tiene forma de

6 sonaja instrumento musical que consiste en un aro de madera con cascabeles de metal, que se hace sonar agitándolo.

barco para recordar que los moros cruzaron el mar Mediterráneo para llegar a la Península Ibérica. El casco lleva también una campanilla que suena para orientar a sus soldados. El casco del rey cristiano es más alto y termina en una cruz, símbolo del cristianismo.

Además de ser un baile en el que las dos tropas se mueven al compás de los tambores, la Danza de los bailantes representa una batalla en la que destacan varios personajes. Entre los cristianos los más importantes son el ángel y el caballero Martín, que debe bautizar al rey moro para convertirlo al cristianismo. Entre los personajes de los moros destaca el diablo, que lleva en su casco dos pequeños cuernos y que anima a sus compañeros a luchar, y el vigía[8], que recorre el campo de batalla y da la señal para que empiecen a sonar los tambores y sonajas que anuncian el combate.

Yo no comprendo muy bien lo que ocurre, pero Abel me lo va contando:

—Mire, ahora los cristianos están capturando al *bailantito*, el niño que representa al hijo del rey moro... ahora fíjese, fíjese, un caballero moro les entrega joyas a los cristianos como pago del rescate[9]...Y ahora los cristianos devuelven el niño a su padre montado en un caballo...

—¿Qué ocurre ahora? —pregunto al ver que los dos reyes se ponen a hablar.

—El rey cristiano convence al rey moro de que se rinda y se convierta al cristianismo.

Los cristianos ganan la batalla y el diablo muestra que ha perdido con saltos y movimientos bruscos del cuerpo. Por otra parte, el ángel recorre las tropas con una danza de paz. Los espectadores aplauden entusiasmados.

—¿Qué le ha parecido? —me pregunta Abel cuando termino de hacer las fotos.

—Es algo precioso, pero también un poco insólito —al fin y al cabo, esas batallas ocurrieron hace siglos, a miles de kilómetros de aquí, y no tienen nada que ver con Latinoamérica.

—Se equivoca señorita. Quizás en su origen fueron parte del folclore español, pero ahora forman parte de nuestra cultura. Para estos campesinos es muy importante conservar la tradición y también lo es para los miles de visitantes que se acercan a Boaco durante las fiestas de Santiago. Nuestros moros y cristianos no tienen nada que envidiar a los de España.

—¿Sabe lo que le digo, Abel? Que tiene usted toda la razón.

7 minarete torre de las mezquitas.
8 vigía persona que mira desde un lugar elevado para anunciar si llegan enemigos.
9 rescate dinero que se paga para liberar a una persona que está retenida contra su voluntad.

A VER SI HAS ENTENDIDO

1 ¿Verdadero o falso?

a Durante las fiestas hay fuegos artificiales todas las noches.

b Los moros nunca llegaron a América.

c La danza de los bailantes se celebra en muchas ciudades de Nicaragua.

d La fiesta de moros y cristianos tiene su origen en Santiago de Cuba.

e El vigía moro está todo el tiempo quieto.

f Las fiestas duran diez días.

g Los bailantes van delante de la imagen del santo.

h Las fiestas de moros y cristianos también se celebran en España.

2 Responde a las preguntas:

a ¿Cómo es el casco del rey moro?

b ¿Desde cuándo se celebra la fiesta de moros y cristianos en Boaco?

c ¿Qué cuenta la leyenda de Santiago Apóstol?

d ¿Cuál es el día más importante de las fiestas?

e ¿Qué representa la danza de los bailantes?

f ¿Qué lleva el diablo en el casco?

g ¿Qué llevan los bailantes en la mano derecha?

3 Ordena las informaciones según el texto:

- [ ] Los cristianos raptan al niño moro.
- [ ] Los espectadores aplauden entusiasmados.
- [ ] Un caballero moro paga con joyas el rescate del niño.
- [ ] El rey cristiano convence al rey moro de que se rinda.
- [ ] El diablo demuestra que ha perdido con movimientos bruscos y el ángel baila una danza de paz.
- [ ] Los cristianos devuelven el niño a su padre montado en un caballo.

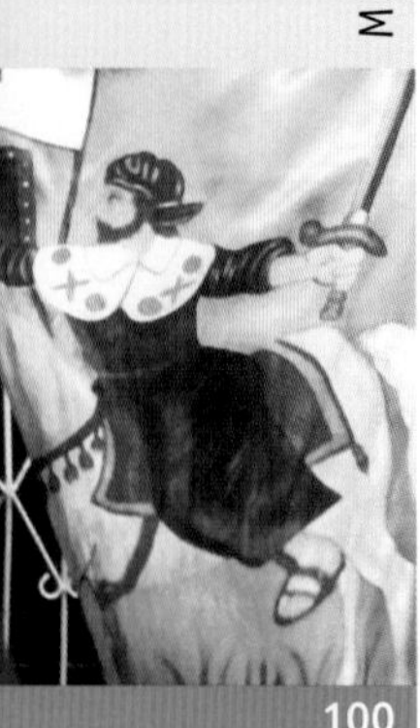

4 Completa las informaciones según la lectura:

a Boaco es una ciudad de ______

b Todos los niños de la ciudad sueñan con ______

c El día 25 la imagen del santo ______

d Amy no tiene que buscar hotel porque ______

e El *bailantito* es un niño que hace el papel ______

f Todos los días comienzan con ______

g La danza de los bailantes es única en Nicaragua por ______

5 Une con flechas:

El Tope de San Felipe •	• bautiza al rey moro.
El caballero Martín •	• anuncia la llegada del patrón a la ciudad.
Los cristianos •	• siempre ganan los cristianos.
Boaco •	• llevan una espada de madera.
En la representación de la batalla •	• está situada en el centro de Nicaragua.

6 Completa la postal que Amy escribe a un amigo español desde Boaco. Usa tus propias palabras.

______ Jorge
______ Boaco, una ciudad ______ Llegué
el 22, para las fiestas de ______.
Son fiestas muy bonitas: el día 22 la
Procesión de los bailantitos ______, y
el 23 el Tope de San Felipe, ______
Pero lo más espectacular es la Danza
de los bailantes, que ______ el 25.
Es como una obra de teatro en la calle
y representa ______.
Aquí es clima es ______ y la gente
______.
Estoy agotada pero feliz. Besos, Amy

Una noche entre difuntos

12 El Día de muertos

MÉXICO

Durante la fiesta más popular de México
los muertos visitan a los vivos
y los mexicanos dan la bienvenida
a los difuntos[1] *con unas celebraciones*
fantasmagóricas. Amy Randall informa
desde el cementerio de Janítzio,
una isla del lago Pátzcuaro.

1 difunto muerto.

La fiesta más popular de México, el Día de muertos, se celebra entre el 31 de octubre y el 2 de noviembre por todo el país, pero sobre todo en el sur y el centro del mismo. Para participar en ella vuelo desde Londres a Ciudad de México, la capital. Mi avión aterriza en el aeropuerto Benito Juárez, donde me espera mi amigo Alfredo Benavente. Alfredo es de Madrid, pero vive en Ciudad de México y trabaja en el Museo Nacional de Antropología. Mañana me va a llevar en su coche hasta el lago Pátzcuaro, en el estado de Michoacán, en el corazón del México colonial. Allí se celebra un Día de muertos muy espectacular.

—Vamos a mi casa —me dice tras darme un abrazo. —Puedes darte una ducha y descansar un poco. El viaje de mañana a Pátzcuaro es largo.

—No quiero descansar, quiero ver los murales de Diego Rivera —respondo.

Tras una ducha y un café, vamos a la Secretaría de Educación Pública, un antiguo convento de 1639. Este edificio es famoso porque en él se encuentran unos murales que Diego Rivera pintó entre 1923 y 1928. En un patio de la planta baja, Alfredo me muestra varios paneles del Día de muertos, la fiesta a la que vamos a asistir. También visitamos el Museo Mural Diego Rivera, donde hay un mural enorme con muchos personajes. En el centro del mismo aparece la pintora Frida Kahlo junto a un esqueleto[2] vestido de mujer, con un gran sombrero adornado con flores y plumas.

Por la noche vamos a cenar a un restaurante de la Plaza Garibaldi. Tomamos quesadillas[3], enchiladas[4], tortillas[5], guacamole[6] y *nachos*[7] y bebemos *Corona,* la cerveza mexicana. Mientras cenamos, unos mariachis nos dan una serenata. Los mariachis son intérpretes de música popular. Sus canciones hablan de amor, de traición y de héroes revolucionarios.

A la mañana siguiente salimos de madrugada. Por el camino, Alfredo me explica las tradiciones del Día de muertos.

—Dicen que la noche del 1 de noviembre, Dios da permiso a las almas para volver a la Tierra a ver a sus seres queridos. Los familiares de los difuntos visitan los cementerios y les llevan flores y ofrendas.

A mí me parece un poco morboso[8] pero Alfredo dice que es una fiesta muy alegre en la que participa todo el mundo y que la muerte se representa con humor y afecto.

—Hasta los artesanos crean objetos humorísticos relacionados con ella —me asegura. —Mira todos esos esqueletos —dice señalando un puesto de disfraces. —Parece *La noche de los muertos vivientes*[9].

2 esqueleto estructura de huesos que forman el cuerpo.
3 quesadilla torta de maíz o trigo que se rellena de queso.
4 enchilada torta de maíz o trigo rellena y cubierta con salsa.
5 tortilla torta de maíz o trigo.
6 guacamole salsa preparada con aguacate, tomate y cebolla.
7 *nachos* trozos de torta de maíz frito.

Al pasar por los pueblos vemos gente disfrazada con trajes que tienen huesos pintados y máscaras de esqueleto.

—¡Mira ese esqueleto vestido de mujer! —grito, —¡Ese que lleva un gran sombrero decorado con flores y plumas de colores. Lo he visto en los murales de Diego Rivera!

—Es la Catrina —me explica Alfredo, —una imagen de la muerte muy popular que aparece mucho en la artesanía.

En los mercados venden montones de esqueletos de juguete para los niños hechos con diferentes materiales. Los hay de hojalata[10], papel, madera, cartón piedra y hueso. También venden piezas de cerámica decoradas con motivos que representan la muerte, flores para los difuntos, dulces de calavera[11] y panes de hueso.

Por fin llegamos al lago Pátzcuaro, situado a 60 km de Morelia, capital del estado de Michoacán. Es un lago muy bello, de 89 km de perímetro, rodeado de suaves colinas y de algunas ruinas de la época precolombina. Desde la carretera que lo bordea hay unas vistas magníficas del lago y de los pueblos. El lago tiene seis islas y en medio se encuentra la de Janítzio, la más importante de todas. Es muy bella, con casas de paredes blancas y techos de teja roja.

Por la noche vamos al muelle[12] de Pátzcuaro a subir a las barcas que van a la isla de Janítzio. Hace muchísimo frío. Mientras esperamos, un grupo de

8 **morboso** *(de la página anterior)* que siente atracción por lo desagradable y lo cruel.
9 ***La noche de los muertos vivientes*** *(de la página anterior)* película de terror del director George Romero, protagonizada por zombis que comen carne humana EE UU, 1968.
10 **hojalata** lámina delgada de hierro o acero recubierta de estaño.
11 **calavera** esqueleto de la cabeza.
12 **muelle** lugar de donde salen los barcos.

danzantes con máscaras, sombreros y bastones, bailan en círculo una danza llamada el Baile de los viejitos. Para quitarme el frío bebo un ponche, una bebida deliciosa preparada con una fruta llamada guayaba, canela y azúcar.

No sé si las barcas son bastante seguras para llevar a tanta gente porque parecen muy frágiles. Están decoradas con velas y flores. Los pasajeros van cantando. Es un espectáculo impresionante, con las luces de cientos de velas y el aire que huele a incienso. La isla está iluminada y desde allí llega el sonido de las campanas.

Una vez en la isla subimos por unas calles estrechas hasta la plaza y el cementerio. Por el camino hay puestos de venta de comida y artesanía. Las puertas de las casas están abiertas y Alfredo me muestra los bonitos altares familiares.

—En cada casa se levanta un altar dedicado a los muertos de la familia, donde se ponen las fotos de los difuntos. Junto a las fotos se colocan ofrendas, adornos, incienso, velas y banderitas de papel. También hay figuras de santos y de dioses paganos de los indios. Aquí puedes ver una vez más la fusión de culturas.

—Pero ¿por qué hay tanta comida sobre cada altar? —le pregunto.

—Era la comida favorita del muerto. Y esos eran sus objetos personales; mira, su pipa, su flauta, su sombrero.

Hay también gran cantidad de flores; la mayoría son como margaritas grandes que cubren el suelo de los altares de un color naranja muy vivo.

—Es *cempasúchil*, la flor de los muertos —me explica mi amigo.

A las 12 de la noche, hay tanta gente subiendo al cementerio que apenas puedo caminar. Hay un ambiente extraño, triste y alegre a la vez. Al llegar a la puerta Alfredo se detiene.

—¿No vienes? —le pregunto.

—No, yo prefiero quedarme aquí afuera —contesta.

—Bueno, pues espérame aquí —le digo, poco convencida. No me gustan los cementerios y menos por la noche. Pero me uno a las mujeres que andan despacio hasta que llegan a las tumbas de sus seres queridos. El cementerio está muy decorado, las tumbas están limpias, recién pintadas y adornadas con flores y muchas velas. Sobre ellas las mujeres colocan bonitas servilletas y la comida favorita de los difuntos. Después empiezan a rezar y a cantar canciones.

El cementerio está lleno de gente. Por todas partes se mueven sombras misteriosas que bailan a la luz de las velas y se escuchan cantos. La campana que hay en la entrada no deja de sonar.

—¿Por qué colocan tantas cosas sobre las tumbas? —le pregunto a una mujer que extiende un mantel blanco bordado sobre una losa[13].

—Para invitar a los muertos a las celebraciones —me contesta. —Celebrar esta fiesta es un deber sagrado; además, los muertos ayudan a quienes lo cumplen —continúa, mientras coloca sobre la tumba de su esposo una baraja[14]. —Se la dejo porque le gustaba mucho jugar a las cartas.

En el cementerio hace mucho frío. Algunas personas se acuestan junto a las tumbas con sacos de dormir para pasar la noche en compañía de los muertos. La mujer, muy amablemente, me ofrece una manta por si quiero acostarme junto a la tumba de su marido, pero le doy las gracias y sigo visitando el cementerio y hablando con las personas que se reúnen alrededor de las tumbas de sus familiares. Así paso casi toda la noche y cuando ya no puedo más de cansancio me dirijo a la puerta de salida.

—¿Qué te ha parecido el paseo entre los muertos? —me pregunta Alfredo, que me espera hablando con unos hombres; —¿todavía piensas que es una fiesta morbosa?

—No, ya no. La verdad es que en el cementerio hay mucho ambiente[15]. Seguro que aquí los muertos no se sienten solos; casi puedo imaginarlos echando una partida[16] de cartas y haciendo una fiesta con toda la comida y bebida que les traen sus familiares.

—No exageres, —ríe Alfredo; —pero es cierto que si aprendemos a respetar a los muertos podemos disfrutar mejor de la vida. Y ahora, si quieres, te invito a desayunar.

La primera luz del día empieza a iluminar el lago Pátzcuaro y tras una noche emocionante pasada entre los difuntos, me alegro de volver al mundo de los vivos.

13 losa piedra grande y plana que cubre las tumbas.
14 baraja conjunto de cartas para jugar a juegos de azar.
15 haber mucho ambiente estar muy animado.
16 echar una partida jugar a las cartas.

A VER SI HAS ENTENDIDO

1 ¿Verdadero o falso?

	V	F
a El Día de muertos sólo se celebra en el centro y el sur de México.		
b Pátzcuaro se encuentra cerca de Ciudad de México.		
c La isla de Janítzio se encuentra en el lago Pátzcuaro.		
d Las barcas están decoradas con velas y flores.		
e En el muelle de Pátzcuaro unos danzantes bailan el Baile de los viejitos.		
f En la isla hay un gran árbol de Navidad.		
g Amy Randall pasa toda la noche en el cementerio.		

2 Responde a estas preguntas:

a ¿Por qué una mujer coloca una baraja de cartas sobre la tumba de su marido?

b ¿Por qué dice Alfredo que parece *La noche de los muertos vivientes?*

c ¿En qué se nota que el Día de muertos es una fiesta alegre?

d ¿Por qué teme Amy Randall que las barcas no sean seguras?

3 Relaciona y forma frases con información de la lectura:

Los artesanos •	• están adornadas con flores y muchas velas.
Los dulces •	• crean objetos humorísticos relacionados con la muerte.
La Catrina es •	• rezan y entonan cantos indios.
Las mujeres •	• interpretan música popular.
Las tumbas •	• una imagen de la muerte muy popular.
Los mariachis •	• tienen forma de calavera.

4 Escribe el nombre de frutas tropicales, especias y flores que conozcas:

Frutas tropicales	Especias	Flores
guayaba,	*canela,*	*margarita,*

5 **En el texto aparece una pareja de pintores mexicanos, Frida Kalho y su esposo Diego Rivera. Escribe la biografía de uno de ellos con los datos de los recuadros.**

Frida Kalho

Lugar y fecha de nacimiento: Coyoacán, al sur de Ciudad de México, 1907.

De niña sufre la polio y queda coja de una pierna.

A los 18 años, accidente de tráfico que le rompe la espalda.

Sufre mucho toda su vida, el dolor se refleja en sus pinturas.

1929: matrimonio con el pintor muralista Diego Rivera.

Amante de León Trotsky.

1939: divorcio de Diego Rivera.

1940: nuevo matrimonio con Diego Rivera, pero viven vidas separadas.

Fecha de su muerte: 1954.

Diego Rivera

Lugar y fecha de nacimiento: Guanajuato, 1886.

1896: traslado a Ciudad de México.

Estudios de pintura en México y Madrid.

Influencias: cubismo y arte indígena.

1929: matrimonio con la pintora Frida Kahlo.

Tiene varias amantes.

1939: divorcio de Frida Kahlo.

1940: segundo matrimonio con Frida Kahlo.

Obras más importantes: murales del Palacio Nacional, mural *La Tierra fecunda* en la Escuela Nacional de Agricultura de Chapingo.

Lugar y fecha de su muerte: Ciudad de México, 1957.